YASMINA

Yasmina Khadra est né le 10 janvier 1955 à Kenadsa, un village séculaire aux portes du Sahara algérien. À 9 ans, son père le confie à l'institution militaire où il passera trente-six ans de sa vie. Descendant d'une longue lignée de poètes, il écrivit sa première nouvelle à l'âge de 11 ans, et son premier recueil à l'âge de 17 ans, qui paraîtra au début des années 1980 sous son vrai nom, Mohammed Moulessehoul, aux éditions Enal-Alger. L'armée se situant aux antipodes de la vocation littéraire, la carrière militaire de Yasmina Khadra sera jalonnée de déboires et de déconvenues. Son amour pour le verbe et la langue française l'aidera à s'accrocher à son rêve d'enfant : devenir écrivain. Pour échapper à la censure militaire, il écrira pendant onze années dans la clandestinité. Yasmina Khadra sont les deux prénoms de son épouse. Ils le feront connaître dans le monde entier. Consacré à deux reprises par l'Académie française, salué par des prix Nobel, Yasmina Khadra est traduit dans une cinquantaine de pays et a touché des millions de lecteurs. Il a fait son entrée dans *Le Petit Robert des noms propres* en 2011. Ses œuvres sont adaptées au théâtre, au cinéma, en bandes dessinées et ont inspiré plusieurs supports artistiques (chorégraphie, photographie, musique, etc.). Aujourd'hui sexagénaire, Yasmina Khadra prône l'éveil à un monde meilleur, malgré le naufrage des consciences et le choc des mentalités. Soutenu par son large lectorat sans lequel il ne « serait que lettre morte », il nous démontre, de livre en livre, que « le plus grand des sacrifices, et sans doute le plus raisonnable, est de continuer d'aimer la vie malgré tout ».

Retrouvez toute l'actualité de l'auteur sur :
www.yasmina-khadra.com

KHALIL

ÉGALEMENT CHEZ POCKET

LES AGNEAUX DU SEIGNEUR
À QUOI RÊVENT LES LOUPS
L'ÉCRIVAIN
L'IMPOSTURE DES MOTS
LES HIRONDELLES DE KABOUL
COUSINE K
L'ATTENTAT
LES SIRÈNES DE BAGDAD
CE QUE LE JOUR DOIT À LA NUIT
L'OLYMPE DES INFORTUNES
L'ÉQUATION AFRICAINE
LES ANGES MEURENT DE NOS BLESSURES
QU'ATTENDENT LES SINGES
LA DERNIÈRE NUIT DU RAÏS
DIEU N'HABITE PAS LA HAVANE
KHALIL
L'OUTRAGE FAIT À SARAH IKKER
LE BAISER ET LA MORSURE
(entretien avec Catherine Laborde)
LE SEL DE TOUS LES OUBLIS
POUR L'AMOUR D'ELENA

YASMINA KHADRA

KHALIL

JULLIARD

ISBN 978-2-266-29166-8
Dépôt légal : septembre 2019

Pour accéder à la postérité, nul besoin d'être un héros ou un génie – il suffit de planter un arbre.

I. Les oiseaux d'Ababil

Je relèverai tes pans jusque sur ton visage, afin qu'on voie ta honte.

Jérémie, 13, 26

1.

Paris, Ville lumière.

Qu'un seul de ses lampadaires s'éteigne, et le monde entier se retrouve dans le noir.

Nous étions quatre kamikazes ; notre mission consistait à transformer la fête au Stade de France en un deuil planétaire.

Serrés dans la voiture qui nous transportait à vive allure sur l'autoroute, nous ne disions rien. Il y avait deux *frères* que je ne connaissais pas, un devant avec Ali le chauffeur, l'autre sur la banquette arrière à côté de Driss, et moi.

Le *frère* de devant avait glissé un CD dans le lecteur de bord et depuis, nous ne faisions qu'écouter cheikh Saad el-Ghamidi déclamer les sourates, la voix aussi pénétrante qu'un envoûtement. Je n'ai jamais entendu quelqu'un réciter le Coran mieux que ce savant de l'islam. Ce n'étaient pas des cordes vocales qu'il avait, mais un arc-en-ciel chantant dans la gorge. Je crois que nous en étions émus aux larmes, sauf peut-être Ali qui semblait nerveux derrière son volant.

J'essayais de me distraire en contemplant la campagne ; la voix de Lyès revenait sans cesse me rappeler à l'ordre : « Tu veux finir comme Moka ? »

Moka était un peu l'idiot de Molenbeek. À soixante ans, il demeurait le même gamin des faubourgs où les nuits arrivent trop vite. Le veston en cuir garni de pin's, le jean déchiré aux genoux, il était persuadé que l'âge n'avait pas de prise sur lui. Sa passion, c'étaient les galopins qu'il retrouvait tous les jours au parc des Muses pour leur raconter ses quatre cents coups revus et corsés à l'envi sans se douter que son jeune auditoire n'était là que pour se payer sa tête.

Personne ne souhaitait finir comme Moka, en ivrogne déglingué avec du flou dans les yeux et une cervelle en berne.

« Regarde derrière toi et dis-moi ce que tu vois. » Nous étions dans un kebab à mordre dans nos sandwiches. J'avais jeté un coup d'œil par-dessus mon épaule. « Imbécile, avait pesté Lyès, la bouche dégoulinante de jus. Je te montre la lune et tu regardes mon doigt. C'est de ton passé qu'il s'agit. Qu'as-tu fait de ta chienne de vie ? Que dalle. Derrière toi, il n'y a que du vent. À cinq ans, tu traînais dans les rues. Dix ans après, tu crapahutes encore sur place. Tu n'as jamais risqué un pas à l'extérieur de la case départ… Tu sais ce qu'il arrive aux types qui attendent ce qu'ils n'osent pas aller chercher ? Ils ne vivent pas, ils pourrissent sur pied. »

À l'époque, l'adolescent Lyès n'avait ni dieu ni prophète. La religion lui était aussi étrangère que ces formules mathématiques qui vous court-circuitent les neurones avant que vous ayez fini de les recopier sur le cahier. Il n'était qu'un mal luné de dix-sept ans qui ne savait rien faire de ses dix doigts, à part mettre son poing dans la figure d'un gars de la cité d'en face ou bien montrer son majeur à un vigile trop curieux.

Il nous en voulait, à nous les paumés du quartier, de n'avoir, pour les lendemains, qu'une placide indifférence. Il ignorait lui-même ce qu'il attendait de nous, mais le fait de nous voir essaimer autour de ce bougre de Moka à longueur de journée le rendait malade.

C'était sans doute pour ne plus avoir Lyès sur le dos que Driss et moi avions cessé de fréquenter le vieux hibou en blouson de cuir. Une manière de prouver, à l'un et à l'autre, que nous avions grandi. Moka, lui, était resté le même de toujours, et d'autres mioches désœuvrés avaient pris nos places. Malgré notre bon vouloir, Lyès ne décolérait pas. En aîné sourcilleux, il avait immanquablement un reproche à nous décocher. Quelque chose clochait chez lui. Son père avait à maintes reprises songé à l'interner.

Eh bien, tout ça était fini. Kamis et barbe rougie au henné, Lyès avait trouvé sa voie et occupait le rang d'émir, preux chef de guerre. Il avait appris à dire les choses sensées avec talent, à n'exiger des autres que ce que lui était capable d'entreprendre, et quand il lui arrivait de hausser le ton, je m'abreuvais sans modération à la source de ses lèvres. Il m'avait éveillé aux indicibles beautés intérieures et avait fait de moi un être éclairé. Ma *chienne de vie*, je l'avais roulée dans un torchon et jetée au caniveau. Ce que je laissais derrière moi ne comptait pas. Le meilleur de moi-même était au bout de cette route qui filait droit, aussi euphorique qu'un tapis volant.

Ali conduisait les yeux fermés. Sans carte ni GPS. Il avait été chauffeur de taxi dans une vie antérieure.

Maître de l'anticipation, Ali ne risquait jamais un pied quelque part avant de s'assurer qu'il n'y avait pas de mine sous le pavé. Pour brouiller les pistes, il avait mis une annonce de covoiturage sur le Net, et attendu que quatre candidats au voyage l'appellent pour verrouiller son téléphone. En cas de grabuge, la messagerie de son portable prouverait aux enquêteurs potentiels que notre transporteur pratiquait souvent le covoiturage pour payer le carburant et qu'il n'était pas habilité à fouiller les sacs de ses passagers.

Ali n'était pas un ami. J'avais effectué trois « commissions » avec lui. Comme il était taiseux, j'ignorais où il logeait et quel était son vrai nom. Je savais seulement, grâce aux indiscrétions de Ramdane, que depuis qu'il avait perdu sa licence de taxi, il travaillait au noir et effectuait parfois, pour l'*effort de guerre*, des navettes Bruxelles-Alicante-Bruxelles, quelques kilos de cannabis dissimulés dans la roue de secours. Lyès le sollicitait occasionnellement pour lui confier un ou deux *frères* en partance pour le djihad ou pour le charger de récupérer un ou deux revenants de Syrie dans tel ou tel trou perdu en France ou en Hollande…

Ali ne se dépensait pas pour la cause. Il monnayait ses services. Si ça ne tenait qu'à moi, je cracherais sept fois sur le revers de ma main gauche pour ne pas avoir à emprunter le même trottoir que lui, sauf que le fumier avait un avantage de taille : il était secret, méthodique, efficace, et il n'était fiché nulle part.

Je n'avais jamais été à Paris. Ma tante maternelle y résidait, pourtant. Nous n'étions pas très proches, sa famille et la nôtre. Il nous arrivait de nous croiser au bled, certains étés, sans plus. Ma mère trouvait que sa sœur nous prenait pour des provinciaux crottés ; en réalité elle la jalousait. Ma tante avait bien négocié sa vie ; elle habitait un beau quartier donnant sur la Seine et, malgré son veuvage prématuré, elle avait fait de ses deux filles un médecin et une architecte, et de son fils un banquier, alors que ma jumelle Zahra, à peine mariée, avait été répudiée sans ménagement au bout de quelques mois, et qu'Yezza, ma grande sœur, trimait dans un atelier clandestin à soixante-dix kilomètres du bercail tandis que moi, le garçon, le mâle, celui qui se devait de faire la fierté de son père, je n'avais même pas été fichu de tenir deux années de suite au lycée.

Ce vendredi 13 novembre 2015, c'était la première fois de mon existence que je m'aventurais sur les terres de France. Hormis les excursions scolaires qui m'avaient fait découvrir Rotterdam et Séville, il y avait huit ou neuf ans, je ne quittais mon quartier que pour un douar du massif marocain de Kebdana, dans la région du Nador natal de mes parents – un été sur deux, lorsque mon père parvenait à mettre un peu d'argent de côté. De la Belgique, je connaissais Liège, où j'avais effectué un stage professionnel de neuf mois, deux ans plus tôt, Charleroi, Anvers, Mons où ma sœur aînée s'abîmait les doigts et les yeux sur des machines à coudre, et quelques fermes isolées sur la frontière est du pays pour les besoins de l'association.

C'était donc avec un sentiment diffus que je quittais la Belgique en sachant que mon voyage ne relevait ni d'une excursion scolaire ni d'une villégiature. Je n'éprouvais qu'un vague vertige à mi-chemin entre l'ébriété et l'insolation.

Je me rappelle un vieil ami de mon père qui venait parfois dîner chez nous, à la maison. Il était veuf et sans enfant. Quand il était éméché, il nous certifiait que l'âme est immortelle et qu'elle occupe indûment notre chair comme un corps étranger, raison pour laquelle notre organisme développe une addiction pour tout ce qui le détruirait afin de la conjurer.

Il n'avait pas tellement tort, l'ami de mon père.

Tandis que je me dirigeais vers mon destin, j'avais le sentiment que mon âme et mon corps étaient en froid l'un avec l'autre.

Ali se déporta sur la première aire de repos pour se défaire de sa doudoune. Il transpirait trop, prétexta-t-il.

Les deux inconnus nous ignoraient.

Driss gardait le sourire. Quand il souriait sans raison apparente, Driss, ça signifiait qu'il avait la tête ailleurs.

Nous nous connaissions depuis notre plus tendre enfance, Driss et moi. Nous habitions le même immeuble, rue Melpomène à Molenbeek, avions été à la même école, assis côte à côte au fond de la classe, contents de faire les malins pendant les cours et fiers d'être convoqués dans le bureau de Mme Perrix lorsque l'instit était excédé par nos diableries. Driss n'était pas le genre à chercher noise aux bûcheurs ou à harceler les filles. Pour lui, les études étaient une perte de temps ; il voulait grandir vite pour aider sa mère, caissière dans un supermarché, à joindre les deux bouts… Un jour, pendant la récréation, j'ai été pris à part par Bruno Lesten, une terreur de douze ans qui régnait sans partage sur les CM2, raclant au passage le fond de nos poches et ratatinant la poire qui ne lui revenait pas. Je ne me rappelle pas comment Bruno avait réussi à me coincer, moi qui me démenais pour l'éviter tellement j'avais peur de lui. Lorsqu'il m'avait saisi par le cou et écrasé contre le mur, j'avais failli tourner de l'œil. Driss, qui ne s'était encore jamais battu avec un élève jusque-là, avait d'abord tenté de raisonner le gros bras. Les choses avaient dégénéré rapidement, déclenchant l'une des bagarres les plus spectaculaires que l'école ait connues. À partir de ce jour, mon ami Driss était devenu mon héros. Je ne pouvais plus concevoir l'existence sans lui. Lorsque ma famille avait emménagé rue Herkoliers à Koekelberg pour éloigner mes sœurs des barbus de Molenbeek qui traitaient les filles sans foulard de putains en menaçant de les défigurer à l'acide, je retournais chaque soir et tous les week-ends dans mon ancien quartier retrouver Driss, si bien que, quand mon héros décrocha du lycée, j'en fis autant, le plus naturellement du monde.

J'étais heureux de mourir à ses côtés.

— Ne te gêne surtout pas, maugréa le *frère* de devant en arabe, en fusillant du regard Ali le chauffeur. Si tu veux faire du footing ou piquer un petit somme, pas de problème. On a tout notre temps.

— On sera à l'heure, tenta de le rassurer Ali.

— T'es qui pour savoir de quoi est faite l'heure qui suit ? Reprends la route, et que ça saute. Et tu ne t'arrêtes plus jusqu'au terminus.

Ali n'insista pas. Il rangea sa doudoune dans le coffre et se dépêcha de rejoindre l'autoroute. Il avait beau étreindre avec force le volant pour dissimuler le tremblement de ses mains, ses mâchoires crispées trahissaient la colère en train de sourdre en lui.

Nous doublâmes une file de semi-remorques avant de retrouver une vue dégagée sur la campagne. Au milieu d'un champ tout vert, quelques vaches paissaient. Plus loin, un village tentait d'échapper à la brume, le clocher de son église tel un mât de cocagne en disgrâce.

J'essayais de ne penser à rien. Comment faire le vide dans ma tête alors qu'elle n'était que rushes de vieux films jamais restaurés : ma jumelle courant pieds nus à travers les vergers de Kebdana ; Yezza en train d'en vouloir au monde entier ; mon père pathétique dans son tablier de marchand de légumes ; ma mère, ombre chinoise sur écran gris… Allais-je leur manquer ? À ma jumelle, sans doute. À ma mère, peut-être. Pas à Yezza. Pas à mon père. Nous ne nous connaissions presque pas, mon père et moi… Ma famille, c'étaient les copains ; ma maison, la rue ; mon club privé, la mosquée. Ma mère verserait quelques larmes les premiers jours, mon père dirait aux voisins et à tous ceux qui daigneraient lui prêter l'oreille que je n'étais pas son fils, ensuite la vie reprendrait son cours là où elle l'aurait laissé et il ne resterait de moi que de rares photos racornies au fond d'un tiroir.

À quoi servaient-ils, eux ? Qu'avaient-ils fait de leur vie ? Un peu comme Moka, ils survivaient en parasites résistants, rendant le monde de moins en moins attrayant.

Je ne me souvenais pas d'avoir vu ma mère *hasarder un pas à l'extérieur de la case départ.* Engluée dans la routine, elle n'attendait pas grand-chose des lendemains. Elle était telle que je l'avais connue quand j'avais trois ans, la même masse d'infortune et de soumission, programmée comme une machine, les mains rongées par les lessives, gueulant après sa progéniture et s'écrasant comme une bouse de vache devant son époux. Ma mère était figée dans le temps, sans âge et sans repères ; une Berbère venue en Occident se languir de son Rif, pareille à un remords qui se cherche une culpabilité pour se justifier et qui s'aperçoit que la peine est double lorsque l'on est coupable d'être une victime.

Quant à mon géniteur, depuis que j'avais ouvert les yeux, il m'offrait le même spectacle d'un homme arrivé au bout du rouleau et qui tardait à se pendre avec une fois pour toutes. Je m'étais souvent demandé pourquoi il avait quitté le Maroc pour s'exiler dans une épicerie belge alors qu'il aurait pu vendre ses fruits et légumes à Nador sans rien changer à ses habitudes de flambeur de bas étage. Il rentrait chaque soir torché, l'humeur massacrante, sans un baiser pour son épouse ni un mot tendre pour ses enfants.

« Ils moisiront comme les herbes folles, pitoyables et inutiles », décrétait un prêcheur venu de Londres donner un sens à notre existence.

— Je mets la radio pour voir comment ça se passe au Stade de France, suggéra Ali, probablement fatigué d'écouter le cheikh réciter sans répit les Saintes Lectures.

— Ce n'est pas encore l'heure du match, lui signala Driss.

— Oui, mais il doit y avoir des trucs qui se mettent en place. Hier, l'équipe allemande a été évacuée de son hôtel après une alerte à la bombe. Les services ne vont pas faire comme si de rien n'était.

— Et alors ? dit le *frère* de devant.

— Ben, les infos pourraient nous éclairer sur le dispositif sécuritaire déployé autour de Saint-Denis.

— Et c'est quoi, ton problème ?

— Je suis chargé de vous conduire à bon port sans encombre, lui rappela Ali en haussant d'un cran le ton, irrité par l'agressivité dédaigneuse de son voisin.

— Tu n'es pas chargé de nous conduire. Tu es payé pour. Quant au bon port, ce n'est pas de ton ressort. Il y a quelqu'un qui veille sur nous, là-haut. Compris ?

Ali ne répondit pas.

— Est-ce que tu as compris ? s'enfiella le *frère*. Tu ne touches pas au CD, tu ne touches à rien et tu gardes tes précautions pour toi.

— Ce n'est pas la peine de crier, protesta Ali. Je ne suis pas sourd.

— Sourd ou aveugle, j'en ai rien à cirer. Tu conduis et tu te tais.

Ali enfonça le cou dans ses épaules et n'ajouta plus un mot.

Driss fixa longuement la nuque devant lui, puis il dodelina de la tête et laissa tomber.

L'autre passager, qui jusque-là n'avait manifesté aucune réaction, continuait de nous ignorer. Qui était-il ? D'où sortait-il ? Rien ne transparaissait chez lui. Un bloc de chair et d'os enrobé d'explosifs, c'était tout ce qu'il était. Le genre d'énergumène qu'on pouvait poser dans un coin pour revenir le chercher un an plus tard, certain de le trouver au même endroit.

Mon regard passait de l'un à l'autre. J'étais sidéré par leur opacité. Nous allions nous sacrifier ensemble, et ils ne nous accordaient pas la moindre attention, à Driss et à moi. À croire que nous n'étions que des figurants. Qui les autorisait à nous prendre de haut ? Leur détermination ? J'étais déterminé, moi aussi. Plus que jamais, malgré les mauvaises questions qui me traversaient l'esprit par moments. « Le doute est essentiel, attestait l'imam Sadek. C'est le combat titanesque que se livrent l'ange et le démon qui sont en nous, l'épreuve de force par excellence, celle qui nous met au pied du mur. Sauf que c'est à nous d'opter pour l'ange ou pour le démon. La foi est l'accomplissement de nos plus intimes convictions. C'est à son issue que nous débouchons sur notre véritable vocation : appartenir à Dieu ou bien lui tourner le dos pour faire face à la damnation. »

En moi, le combat avait été terrible. Le démon collait à mon être telle une ventouse. Je pesais le pour et le contre de jour comme de nuit, partout où j'allais. J'étais une arène ambulante ; ma tête vibrait de clameurs, le pouce tourné tantôt vers le sol, tantôt vers le ciel. Le démon ne lâchait pas prise, féroce, tumultueux. Mille fois, j'étais sur le point de rentrer chez moi retrouver mon kebab, mon bistrot, les filles que j'adorais embêter à la sortie du lycée, les copains qui préféraient les tubes d'été aux prêches incendiaires, et mes DVD. Mais le Seigneur a été plus fort que mille armées de démons. Il avait suffi d'un soupçon d'éveil pour déloger le Malin qui squattait mon esprit. *Tu ne seras jamais un Belge à part entière*, m'avait promis Lyès. « Tu n'auras pas de voiture avec chauffeur. Et s'il t'arrivait, par je ne sais quel miracle, de porter un costume-cravate, le regard des autres te rappellerait d'où tu viens. Quoi que tu fasses, quoi que tu réussisses, dans un laboratoire ou sur la pelouse d'un stade, il suffirait que tu donnes un coup de boule à une fiotte pour dégringoler de ton nuage d'idole et redevenir le bougnoule de toujours. Ça a toujours été comme ça. Et ce sera toujours ainsi. »

Pas question, pour moi, de finir comme Moka. J'estimais avoir trop grenouillé dans mon étang avant de me rendre compte qu'on m'avait confisqué mon statut de citoyen pour me refourguer celui d'un cas social, que mon destin dépendait de *moi*, et non pas de ces marionnettistes qui cherchaient à me faire croire que mon âme ne serait qu'une prise d'air, que j'étais fait de chiffons et de ficelles, et qu'un jour j'échouerais dans un placard parmi les balais et les serpillières.

Arrivé à cette ultime bretelle, j'étais fixé sur mon cap : j'avais choisi sous serment de servir Dieu et de me venger de ceux qui m'avaient chosifié.

En ce vendredi 13 novembre 2015, j'allais accomplir les deux à la fois.

2.

Ali déposa les deux *frères* à quelques encablures du Stade de France, au milieu des cohortes de supporters qui débarquaient de tous les côtés, le visage peinturluré, les écharpes-étendards autour du cou, quelques mioches sur les épaules. Par endroits, des groupes d'excités entonnaient des chants braillards, la poitrine vaillante, la tête coiffée d'un casque cornu. D'autres se pavanaient en agitant des banderoles et des drapeaux tricolores, déjà ivres de ferveur et de bière. Il y avait beaucoup de femmes dans la foule, aussi ridicules que les hommes, avec leur maillot bleu étriqué qui prononçait outrageusement le contour de leur poitrine et leurs joues griffées au rouge à lèvres. Des bus, à la queue leu leu, n'en finissaient pas de déverser leur monde sur les esplanades, sous l'œil vigilant d'un impressionnant dispositif de sécurité.

Des fourgons de police quadrillaient les lieux – cela n'empêcha pas nos deux passagers de se fondre tranquillement dans la marée humaine.

Ils ne nous avaient même pas salués, les deux *frères*.

Ils n'eurent pas l'air, non plus, d'avoir entendu Driss leur dire : « À bientôt. »

À peine s'étaient-ils éloignés qu'Ali éjecta le CD du lecteur et mit la radio.

— Remets le Coran, lui intima Driss.

— Il y a sûrement des infos qui pourraient nous être utiles, insista Ali.

— Remets le CD, s'il te plaît. Et dépose-nous au point 3.

— Au point 2, tu veux dire ?

— Au point 3. Khalil ne connaît pas les lieux. Il faut que je lui montre la station. Après, je regagnerai le point 2.

— Ce n'est pas ce qui est indiqué sur la feuille de route, lui signala le chauffeur.

— T'occupe. Je gère.

Ali enclencha la marche arrière, manœuvra au milieu de la chaussée pour rebrousser chemin en nous jetant des regards dépités à travers le rétroviseur. Driss lui montra son pouce et l'ignora.

Nous négociâmes tant bien que mal les embouteillages à l'entrée de Saint-Denis jusqu'au point 3. Ali se débarrassa de nous dans une rue déserte. Il était soulagé de déguerpir. Il ne fallait pas être sorcier pour deviner qu'il allait rentrer directement et sans tarder à Bruxelles. Une fois chez lui, il commencerait par nettoyer de fond en comble sa voiture pour effacer la moindre de nos traces ADN.

— Faut pas lui en vouloir, me dit Driss comme s'il lisait dans mes pensées.

— Tu as vu comment il a décampé ?

— La guerre est un marché comme les autres, Khalil. Il y a ceux qui vont au charbon, ceux qui dirigent de loin, et les sous-traitants. Ali est un sous-traitant. Il ne fait pas la guerre, il fait des affaires.

Il ne m'apprenait rien. Ce que manigançaient les autres m'importait peu. Le Seigneur jugerait. Moi, je ne trichais pas. La cupidité, les frasques et les paillettes, j'avais fait une croix dessus. J'étais le soldat du Miséricordieux ; je relevais désormais d'un ordre de chevalerie sans équivalent.

Les propos de Driss faussaient la solennité du moment. Il n'avait pas à déplorer quoi que ce soit. Aucune référence autre que notre mission n'était digne d'intérêt. Qu'entendait-il par aller au charbon ? Mourir pour la cause suprême est un privilège qui n'est pas donné à n'importe qui.

— Qu'est-ce qui t'a pris de changer nos plans à la dernière minute ? fis-je.

— L'opération n'a pas encore commencé.

— Tu n'as pas à m'accompagner à mon poste. Je n'ai pas besoin que l'on me tienne par la main.

— Je voulais seulement passer un dernier instant avec toi. Ça t'embête ?

— Non, mais qu'est-ce qu'il va s'imaginer, Ali ? Que je ne suis pas foutu de me débrouiller seul ?

— Il pensera ce qu'il voudra. Il ne compte pas, lui.

Nous marchâmes jusqu'à un square, en silence. Autour de nous, les gens allaient et venaient, certains des sacs de provisions sur les bras, d'autres la tête dans les soucis. Les devantures illuminées des boutiques, les enseignes au néon, les téléviseurs allumés derrière les vitrines, les voitures qui glissaient sur le bitume, tout ce qui m'entourait appartenait à une dimension qui n'était plus la mienne.

Nous prîmes place sur un banc. Driss se remit à sourire dans le vague. En face de nous, une fille hélait un taxi, un boutiquier essayait de convaincre un client sur le pas de sa porte, un couple se dépêchait de rentrer chez lui. « C'est vrai que tu vas en foyer ? demanda une vieille dame à un jeune garçon. Chantal m'en a parlé… » C'était un soir comme les autres, sauf que dans quelques heures, il marquerait l'histoire et cesserait alors de ressembler aux soirs d'autrefois et aux soirs à venir.

— Pourquoi tu me regardes comme ça ? s'enquit Driss.

Sa question me surprit car j'étais plongé dans mes pensées.

— Je te regarde comment ?

— Tu as l'air triste.

— Quel air veux-tu que j'aie ?

Il me tapota le poignet.

— Tu ne peux pas savoir combien je suis fier de toi.

Je ne dis rien.

Ses doigts se refermèrent autour de ma main.

— Ça va ?

— Pourquoi ça n'irait pas ?

— Tu as peur ?

— Peur de quoi ?

Il se lissa le bout du nez, dit, un grelot dans la gorge :

— Des fois je m'en veux de t'avoir entraîné là-dedans.

— Y a pas de raison.

— Il m'arrive souvent de me demander si tu n'as pas rejoint Lyès juste pour ne pas me contrarier.

— C'est pas faux.

— Vraiment ?

— Bien sûr. J'aurais été malheureux si tu m'avais laissé de côté.

— Tu le regrettes ?

— Pas le moins du monde. Au début, je t'avais suivi, toi. Mais j'ai fini par reconnaître que j'avais bien fait de te suivre. Je naviguais à l'aveugle, avant. Il me fallait une voie, et les *frères* me l'ont montrée.

— Ça me rassure.

— Tu aurais tort d'en douter. C'est la première fois de ma vie que je me sens important.

Un tic se déclencha au coin de sa bouche quand il lâcha dans un soupir :

— Il n'y a rien de bon pour nous sur cette terre.

— J'suis d'accord.

Il changea brusquement de ton :

— Tu te rappelles Chemla ?…

— Je ne me souviens de rien ni de personne, l'interrompis-je. J'ai passé au Kärcher tout ce qui n'est pas l'instant présent et je l'ai recouvert d'asphalte. Nous sommes, ce soir, les privilégiés du Seigneur. Tu ne peux pas mesurer combien j'en suis flatté.

Il opina du chef. Ses doigts maintenant couraient sur sa cuisse. Moins détendu que tout à l'heure, Driss devait se poser un tas de mauvaises questions.

— C'étaient qui, les deux types ? lui demandai-je.

— Je crois qu'ils viennent du Moyen-Orient.

— Ils ne nous ont même pas calculés.

— C'est peut-être dans leur culture. De toutes les façons, notre destin et le leur sont scellés dans la grâce.

— Je n'aimerais pas être logé à la même enseigne qu'eux, au paradis.

Il rit. De son rire d'enfant. Comme autrefois lorsqu'il entendait une bonne blague. Il avait toujours été séduisant, mais ce soir, il était beau ; ses yeux débordaient d'une douceur séraphique.

— Allez, oublie-les, me dit-il. Sympas ou chiants, aujourd'hui ils sont les plus proches de nos *frères*.

Il consulta sa montre.

— Le match ne va pas tarder à chauffer la galerie. La station est juste au bout de la place que tu vois là-bas. Impossible de la louper. Tu as bien ton ticket de RER ?

— Je ne risque pas de le perdre. C'est mon aller simple pour le *Firdaous*.

Il se leva, attendit que je me lève à mon tour, passa son bras par-dessus mon épaule et me poussa devant lui.

— Ne prends pas n'importe quelle rame. Choisis la plus bondée.

— S'il te plaît, je ne suce plus mon pouce.

Il s'excusa et pressa le pas.

Nous arrivâmes sur un boulevard, à côté d'un kiosque fermé. Il ne restait pas grand monde dans les parages, hormis deux vieilles dames blafardes qui avaient l'air d'avoir perdu quelque chose et un SDF halluciné en train de se décomposer au milieu de ses chiffons au pied d'un panneau publicitaire vandalisé.

— Je te laisse ici, Khalil. C'est l'heure pour moi de rejoindre mon poste.

— Tu as raison. Tout doit se dérouler comme prévu.

Il me prit dans ses bras.

— Je suis très, très fier de toi, Khalil.

Je le serrai fort contre moi, humai son odeur. Nous restâmes de longues secondes ainsi. Lorsqu'il se retira, Driss avait les yeux brouillés. Son sourire était d'une tristesse infinie.

— Bon, on se dit à tout à l'heure ?
— À tout à l'heure, Driss.
— Fais attention à toi, plaisanta-t-il, la gorge serrée.
— C'est ça.
Il s'enhardit, se pencha sur mon oreille :
— Je parie que je ferai plus de victimes que toi.
— Le pari est *haram* en islam, Driss.
— Le martyre absout tous les *haram*, voyons.
Il me serra une dernière fois contre lui et se dépêcha de disparaître.

Driss et moi avions été préparés pour la mission au cours des cinq dernières semaines. Chaque soir, après la prière, le cheikh, notre coordonnateur, venait nous rejoindre chez Lyès pour s'assurer que nous étions réellement partants. Avant de nous quitter, il nous attrapait par les épaules, sondait le fond de notre pensée et nous rappelait que Dieu n'exige de ses sujets que ce qu'ils sont en mesure d'entreprendre. « Votre mission est capitale. Si vous ne vous sentez pas prêts, il n'y a aucune honte à vous rétracter. Personne ne vous en tiendra rigueur. Le martyre est une conviction, non une contrainte. D'autres *frères* seraient ravis de prendre votre place. » Driss le rassurait d'une voix limpide : « Nous ne laisserons personne faire à notre place ce que Dieu attend de nous, cheikh. » L'imam acquiesçait sans me quitter des yeux. Driss se portait garant de moi : « Khalil est timide, mais lorsqu'il s'engage, un bulldozer ne le stopperait pas. Nous avons grandi ensemble, nous mourrons ensemble. – Et ensemble vous serez dans la baraka du Seigneur », avait conclu l'imam en nous pressant contre lui.

Le lendemain, le cheikh était de nouveau là à nous soumettre à la même épreuve. C'était une obsession, chez lui. Il voulait vérifier si nous étions des « bombes solvables », si Lyès, qui prétendait connaître ses gars sur le bout des doigts, ne se trompait pas sur l'arsenal de guerre à un moment où la situation réclamait d'authentiques armes de destruction massive.

Il revint le soir d'après, et tous les soirs qui suivirent, pour ne rien laisser au hasard.

Cet après-midi, il était encore là, drapé dans sa robe d'imam révéré, Lyès sur sa droite et l'autre imam, le vénérable Sadek, sur sa gauche. *Dans quelques heures*, avait-il décrété, *le monde entier sera scotché aux écrans de télé. Les chefs d'État se relayeront sur les tribunes pour s'indigner, mais c'est vous qu'on entendra d'un bout à l'autre de la terre. Notre message ne souffrira d'aucune ambiguïté. Nous allons prouver à ces mécréants, une fois de plus, que nous sommes capables de frapper n'importe qui, n'importe où.*

À l'heure et à l'endroit indiqués, une voiture était passée nous prendre, Driss et moi. À son bord, il y avait deux passagers. Leur présence nous avait intrigués : Lyès ne nous avait pas mis dans la confidence à leur sujet. Il avait seulement laissé entendre qu'il y aurait des explosions à l'intérieur du Stade de France, que Driss avait pour mission de cibler les supporters à la sortie du stade, et moi d'intervenir dans le RER après le match.

Les « explosions » programmées à l'intérieur du stade seraient donc nos deux inconnus.

J'ignorais que nous allions voyager ensemble.

Driss était monté le premier dans la voiture, s'était poussé sur la banquette arrière pour me faire de la place.

— Pas besoin de présentations pour le moment, avait dit Ali le chauffeur. Vous les ferez plus tard, dans les jardins éternels.

D'emblée, les deux inconnus m'avaient déplu. Ils n'avaient même pas daigné lever les yeux sur nous. Ils étaient repoussants d'arrogance et de froideur. Du coin de l'œil, Driss m'avait intimé de prendre sur moi. Les deux *frères* devaient être trop concentrés sur leur mission pour se donner la peine d'être aimables…

— V'z'avez pas une clope ?

Le SDF de tout à l'heure m'arracha à mes pensées. Il était penché sur moi, titubant et crasseux, deux doigts noircis sur les lèvres pour signifier son manque de nicotine.

— J'ai pas un rond, et j'ai pas bouffé depuis hier. V'z'avez pas une pièce ou un ticket resto ?

— Dégage, lui grommelai-je.

— Ça va, ho ! j'ai pas demandé la lune.

— Retourne dans tes chiffons, je te dis.

Ce qu'il dut lire dans mon regard le dissuada d'insister.

Il regagna son coin et se contenta de me toiser de loin, la bouche tordue.

J'étais resté une heure à faire le tour des pâtés de maisons, en me gardant de trop m'éloigner de la station. Je prenais des repères à chaque coin de rue, revenais sur mon parcours pour vérifier que je n'étais pas en train de m'égarer.

Les bistrots étaient bondés. Le match venait de commencer. Les supporters se trémoussaient sur leurs sièges lorsqu'ils n'étaient pas carrément debout, le nez collé à l'écran, la chope de bière au bout du bras tel un trophée. Leur chahut se répandait aux alentours comme un vent de folie.

Une déflagration résonna au loin. À peine audible. Je me précipitai vers le bistrot le plus proche pour voir si l'opération avait débuté. La clientèle s'agitait dans un brouhaha bon enfant. Au comptoir, le barman et ses serveurs commentaient le match, les yeux rivés sur l'écran au-dessus de leur tête. Dans le stade, les gradins grouillaient de supporters enthousiastes ; les chants ripostaient aux sifflets – j'en déduisis que la déflagration en question n'était que celle d'une bonbonne de gaz ou bien le fruit de mon imagination.

Quelques minutes plus tard, une deuxième explosion se fit entendre, mais impossible de savoir d'où elle provenait. En faction derrière la vitrine du bistrot, je surveillais la télé. Rien d'anormal ne perturbait la liesse au Stade de France. Le match se poursuivait dans une ambiance festive, soulevant des clameurs tonitruantes chaque fois qu'une contre-attaque des Bleus menaçait les buts adverses.

D'un coup, des sirènes se mirent à ululer de partout, emplissant la ville de Saint-Denis d'une chorale apocalyptique.

Au bistrot, personne ne s'en rendait compte. On continuait de suivre le match et de trinquer, les cris aussi déchirants que les sirènes en train de cadencer le pouls de la nuit. J'étais désarçonné. Je ne comprenais pas. Les tribunes du Stade de France exultaient, les banderoles brassaient l'air, les chants et les clairons se surpassaient. À cette heure-ci, les deux kamikazes devaient avoir actionné leur ceinture d'explosifs, or aucune panique ne s'était déclarée dans les gradins. Je m'attendais à voir deux geysers de flammes pulvériser par grappes des dizaines de supporters et provoquer une bousculade indescriptible autour des portes de sortie ; rien. Les caméras balayaient tranquillement la pelouse, zoomaient sur un tacle, revenaient sur un dribble, s'attardaient sur un joueur au sol, et les galeries continuaient de s'époumoner dans une ferveur grandissante.

Je n'avais aucun moyen de joindre Driss pour savoir ce qu'il se passait. Je surveillais le stade à la télé. Le match se poursuivit jusqu'au coup de sifflet final de l'arbitre. Puis les supporters se mirent à investir la pelouse. Quelque chose était arrivé. Les chants cédèrent la place à un silence angoissant. Sur les visages bariolés une hébétude rompait brutalement avec la clameur qui ébranlait les tribunes quelques instants plus tôt. Je vis des enfants apeurés, des filles abasourdies, des hommes désarçonnés. Dans le bistrot, les clients se mirent à se regarder d'une drôle de façon. J'entendis deux hommes parler d'attentats.

Je me dépêchai vers la station.

3.

Les rames du RER étaient pleines à craquer. La plupart des passagers revenaient du Stade de France, la figure abîmée par l'effroi, les yeux aux abois. Curieusement, ils se taisaient ; ils semblaient n'avoir qu'une envie : rentrer le plus vite possible chez eux. Quelque part dans la cohue, un enfant pleurait. Autour de moi, plusieurs personnes étaient absorbées par leur iPhone. Par-dessus une épaule, je vis des scènes de panique sur un écran. Une chaîne d'info diffusait les images d'un attentat à Paris. Les prises de vues étaient instables et floues. Difficile de savoir de quoi il retournait – le gars au smartphone utilisait des écouteurs. À côté de moi, une jeune fille envoyait des textos, fébrile, blême, sur le point de tomber dans les pommes.

Un remous se déclara au fond de la rame ; une bousculade s'ensuivit, puis une altercation. Je craignis que quelqu'un tire sur la poignée d'alarme et que tout le monde évacue le RER dès l'arrêt d'urgence. Dans ma tête, la voix orageuse de l'exégète gronda : « Qu'a fait notre Seigneur de l'armée aux éléphants qui s'apprêtait à dévaster La Mecque ? *Il a lancé contre elle les oiseaux d'Ababil* qui l'ont lapidée avec des pierres cueillies de l'enfer et a réduit ses rangs en pâturages impurs. Aujourd'hui, l'armée aux éléphants, ce sont ces superpuissances autoproclamées qui osent s'en prendre à l'islam et que nous allons anéantir par la volonté de Dieu. Car, aujourd'hui, les oiseaux d'Ababil, c'est nous. Nous volons plus haut que leurs drones, frappons plus loin que leurs fusées, surveillons plus efficacement que leurs satellites… » À mes tempes résonnèrent des milliers de *taqbir*. C'était comme si un volcan éruptait en moi. Je glissai ma main dans la poche de mon veston, pensai à Driss, à ma sœur jumelle et à ma mère, récitai la *chahada* en mon for intérieur et pressai sur le poussoir relié à ma ceinture d'explosifs…

Rien. Je mis plusieurs secondes à réaliser que la charge que j'avais autour de la taille ne répondait pas. Je pressai de nouveau sur le poussoir. Puis une troisième fois. J'étais toujours entier. Dans la rame, les gens s'étaient un peu calmés. Le responsable de la frayeur était un pickpocket. « J'ai pas fait exprès, protestait-il. C'est pas de ma faute si on est serrés comme dans une boîte de sardines. » Je continuais de presser sur le poussoir tandis qu'un vertige me gagnait. Des crampes se mirent à tenailler mes mollets. Ma bouche se remplit d'une sécrétion infecte. Je n'étais plus maître de quoi que ce soit ; mon pouce avait beau s'écorcher sur le poussoir, la ceinture d'explosifs demeurait muette.

Lorsque je revins à moi, je me surpris sur un quai, au milieu d'une mêlée fiévreuse qui m'emportait vers d'autres couloirs. Je n'arrivais pas à trouver la sortie. Je ne descendais d'une rame que pour me retrouver dans une autre. J'étais complètement perdu. J'ignore comment je finis par atteindre la rue. L'air libre me dégrisa, gela la sueur sur mon corps, mais je ne saurais dire si c'était la peur ou le froid qui me faisait trembler de la tête aux pieds.

Autour de moi, les gens se dispersaient rapidement. On n'entendait que les hurlements des sirènes qui n'arrêtaient pas de s'interpeller dans la nuit.

La tête dans les mains, je tentais de mettre de l'ordre dans mon esprit. J'ignorais depuis combien de temps j'étais assis sur le banc que j'occupais.

— Ne restez pas là, monsieur, me dit un agent. Rentrez chez vous, s'il vous plaît.

— Qu'est-ce qui se passe ? lui demanda une jeune fille en descendant de sa bicyclette. Pourquoi toutes ces ambulances ? J'ai failli me faire renverser par un fourgon de police.

— S'il vous plaît, ne traînez pas dehors. Rentrez chez vous, insista le flic.

— Il y a eu des attentats, place de la République, dit un passant, la voix tremblante.

Je me levai et quittai le square.

Pour aller où ? Je ne savais ni où je me trouvais ni quoi faire.

Je devrais être mort à l'heure qu'il est, me répétais-je.

Je décidai d'appeler Ali pour qu'il revienne me chercher. Je trouvai une cabine téléphonique, mais je n'avais pas un centime sur moi. « Ma mère doit être folle d'inquiétude avec ces attentats, dis-je à une passante. Il faut que je l'appelle pour la rassurer, mais je n'ai pas de pièces. » La dame ouvrit aussitôt son sac et me tendit de la monnaie : « Appelez-la vite. Moi aussi, j'ai mes filles dehors à cette heure-ci. Mon Dieu !

Pourvu qu'il ne leur soit rien arrivé. » J'attendis que la dame s'éloigne pour composer le numéro d'Ali. Ce dernier mit une éternité avant de décrocher.

— Ali, il y a eu un problème.

— Désolé, vous vous trompez de numéro.

C'était pourtant bien la voix d'Ali.

Au deuxième essai, je tombai sur le répondeur.

Je retournai dans le square pour réfléchir. J'avais l'esprit sens dessus dessous. Je me remis à marcher, le pouce instinctivement sur le poussoir dissimulé dans la poche de mon veston. Une colonne de fourgons de police, escortée par des voitures aux gyrophares tournoyants, surgit d'une trémie et fonça droit sur une voie large, probablement une rocade ou un périph. Quelques brasseries étaient ouvertes, mais il n'y avait plus grand monde sur les terrasses. Je repassai devant le square de tout à l'heure, me rendis compte que je tournais en rond. Au bout de l'avenue, je tombai sur le même complexe que je venais de quitter. Sur le fronton, on pouvait lire « Palais des congrès ». Un panneau illuminé proposait une carte de Paris. J'essayai de me situer et ne fis que m'embrouiller davantage.

Je retournai dans la cabine téléphonique.

Ali ne répondit pas.

« Fumier, fumier, fumier… »

Je composai le numéro de Rayan, un ami d'enfance.

— Il faut que tu viennes me chercher, lui dis-je.

— Désolé, je ne suis pas à Bruxelles.

— J'ai besoin de toi, Rayan.

— Je te dis que je ne suis pas à Bruxelles.

— C'est urgent.

— Appelle un taxi. Je suis à Cambrai, moi.

— C'est où ?

— En France. Tu sais très bien que si j'étais dans les parages, je serais déjà devant ta porte. Mais là, ce n'est pas possible. C'est grave ?

— Je suis à Paris.

Il y eut un silence au bout du fil.

— Qu'est-ce que tu fabriques, à Paris ? À la télé, on parle de massacres dans plusieurs quartiers.

— C'est le chaos total. Je ne sais pas où aller. Je n'ai pas un sou sur moi et je suis à la rue.

— Tu es blessé ?

— Non, je suis perdu. Il faut que tu viennes me chercher.

— Y a pas de trains pour rentrer ?

— Je te dis que je n'ai pas un rond sur moi. Est-ce que tu viens me chercher ou pas ?

Rayan toussota au bout du fil.

— Tu es où exactement ?

— J'en sais rien.

— Tu veux que je vienne te chercher comment si tu ne sais pas où tu te trouves ? Paris, ce n'est pas un bourg avec deux ruelles et une placette. Donne-moi au moins un repère.

— Je te répète que je ne connais pas l'endroit où je me trouve.

— Tu n'as qu'à me communiquer le nom de la rue la plus proche.

— Il y a un grand complexe à la sortie du métro. Le Palais des congrès. En bas, un hôtel avec une enseigne haut placée que tu ne peux pas louper. Il s'appelle le Hyatt Regency. Le métro, c'est Porte-Maillot.

— Pas si vite. Laisse-moi noter ça. Je cherche sur le Net et je te rappelle.

— Non, non, non, ne raccroche surtout pas. Je t'appelle d'une cabine et il ne me reste plus de pièces.

— On se retrouve devant l'hôtel.

— Tu seras là quand ?

— Le temps d'arriver. C'est pas la porte à côté, Khalil.

— Tout le monde est sur les nerfs par ici. Je ne tiens pas à avoir des problèmes avec les vigiles de l'hôtel.

— Va dans un endroit sûr et ne t'éloigne pas trop. Je te rappellerai dès que je serai dans les parages.

— J'ai pas de téléphone.

— Comment tu veux que je te joigne quand j'arrive ?

— Il y a un square sur la grande avenue… Non, pas le square. Tu me trouveras devant l'Abribus qui est juste en face de l'hôtel Hyatt Regency. Je te ferai signe dès que je reconnaîtrai ta voiture. Allume le plafonnier quand tu arrives devant l'entrée de l'hôtel.

— Pourquoi pas la chaîne stéréo, pendant qu'on y est ? grommela-t-il. Purée, qu'est-ce que tu es allé foutre à Paris ?

— Rendre visite à ma tante. Je…

Il avait raccroché.

Rayan me trouva vers 3 heures du matin, frigorifié sous l'Abribus. Il était en costume-cravate, probablement en train de célébrer quelque chose à Cambrai. Il me laissa monter à côté de lui, consulta son GPS et contourna le Palais des congrès pour rejoindre une trémie.

— Je ne t'attendais plus.

— Le périph est bouclé. Tu es à Paris depuis quand ?

— Je suis arrivé cet après-midi. Pour m'installer chez ma tante et chercher du travail. Mon père m'a chassé de la maison. J'ai pensé trouver refuge chez ma tante, mais elle a déménagé, et je n'avais que son ancienne adresse.

Rayan avait grandi avec moi. Il connaissait dans les moindres détails mes problèmes familiaux et savait que le courant ne passait pas entre mon père et moi.

— Tu as vraiment choisi ton jour, toi.

— Je ne pouvais pas deviner…

— Que s'est-il passé ?

— Ben, des attentats.

— Je parle de ta situation. Comment tu t'es retrouvé sans le sou ?

— Quelqu'un m'a piqué mon portefeuille dans le métro. Y avait mes papiers et mon fric dedans.

— Décidément, il faut que tout te tombe sur la tête à la fois. Tu vas t'expliquer comment sans tes documents si on se fait arrêter par un barrage de contrôle ?

— T'as été contrôlé ?

— Non, mais la ville est quadrillée.

Nous avions roulé environ deux heures quand Rayan sortit brusquement de l'autoroute.

— Qu'est-ce que tu me fais, là ?

— J'ai des trucs à récupérer à Cambrai.

— Tu les récupéreras demain. Je veux rentrer en Belgique, moi.

— Du calme, Khalil. Tous les chemins mènent à Bruxelles.

— Je vais à Mons.

— C'est sur notre route. Cambrai, Valenciennes, et tu es à Mons.

Le ciel s'éclaircissait. Hormis quelques camions de livraison, la circulation était moindre. De temps à autre, une voiture nous croisait, puis la brume engloutissait le paysage. Rayan conduisait calmement. Il ne soupçonnait rien. Je crois qu'il avait avalé sans peine la version des faits que je lui avais donnée.

Il me laissa à l'entrée de Mons.

Je ne tenais pas à ce qu'il sache où ni chez qui je me rendais.

Yezza, ma sœur aînée, était en train de finir son petit déjeuner quand je frappai à sa porte. Elle m'ouvrit et, sans m'adresser la parole, regagna la cuisine pour terminer son repas. Elle avait l'habitude de me voir débarquer chez elle à l'improviste, notamment lorsque j'avais besoin d'argent ou bien quand les choses dégénéraient avec le vieux. Elle m'accueillait en silence et, renfrognée, elle faisait comme si je n'étais pas là. Yezza détestait qu'on lui rende visite.

Pendant qu'elle débarrassait, les yeux dans le flou, je me rendis compte que j'avais atrocement faim. Je me fis frire les trois derniers œufs qui restaient dans le frigo.

— Tu sors d'où ? me demanda-t-elle, agacée par ma voracité.

— De chez un copain qui se marie dans le coin.

— Et on ne vous a pas donné à bouffer ?

— Y avait trop d'invités.

Ma sœur s'essuya les mains dans un torchon. L'entretien était clos. Elle se changea, enfila son voile intégral et s'apprêta à sortir.

— Tu vas où ?

— Du travail m'attend à l'atelier.

— On est samedi.

— Et alors ?

— Tu ne prends jamais de repos ?

— Je me reposerai lorsqu'on me fichera la paix. On n'a même plus le droit de rester tranquille chez soi. Il faut toujours qu'un imprévu vienne y mettre du sien.

L'« imprévu », c'était moi.

— Tu comptes rester longtemps à Mons ?

— Pas vraiment.

— Le double des clefs est dans le tiroir de la commode au fond du couloir. Tu le laisses dans la boîte aux lettres en partant.

— D'accord.

Elle renifla bruyamment et sortit en claquant la porte derrière elle.

Ma sœur se relevait d'une importante dépression nerveuse. Si elle donnait l'impression de s'en être sortie, les séquelles couvaient sous les apparences. À quarante ans, célibataire, sans doute encore vierge, elle désespérait de la vie. Avant, notre famille ne se rendait au Maroc que pour lui trouver un mari. Mais, dans notre communauté, seuls les hommes ont le droit de choisir et d'exiger. Généralement, une fille qui vit à Bruxelles ou dans un autre pays de cocagne, avec en prime la possibilité d'un regroupement familial, ne se refuse pas. Mais, au bled, lorsqu'on est grosse, pas très jolie, avec un œil qui se barre sans crier gare, on n'a pas beaucoup de chances de convoler un jour en justes noces. Ma sœur ne répondait pas aux critères de sélection. Même nos cousins, qui crevaient la dalle dans leurs champs empestant le fumier, ne voulaient pas d'elle. C'était sans doute pour cette raison que quelque chose avait fini par disjoncter dans son cerveau. Ma mère était persuadée qu'on avait jeté un sort à sa fille.

Elle avait emmené Yezza, alors âgée de vingt-sept ans, consulter un célèbre marabout dans le désert, du côté de Figuig. J'ignore quel élixir putride le charlatan avait administré à ma sœur car, quelques jours après son retour à Nador, Yezza avait commencé à faire des cauchemars. Elle se réveillait la nuit en hurlant et en se contorsionnant par terre, les yeux révulsés. L'imam du douar, appelé à la rescousse, déclara ma sœur possédée par un démon. Il la soumit à d'effroyables séances d'exorcisme qui ne firent qu'aggraver son cas. J'avais dix ans à l'époque. Ce que j'avais vu, au cours de ces séances, me traumatisa longtemps. Mon père dut écourter nos vacances pour que nous rentrions en catastrophe à Bruxelles où ma sœur fut admise dans un centre spécialisé. Son médecin diagnostiqua une névrose hystérique provoquée par une violente détresse émotionnelle. Il lui prescrivit un traitement de choc. Yezza reprit une vie normale – enfin presque, car il lui arrivait de sombrer dans une profonde mélancolie. Elle s'était remise à travailler, d'abord dans un pressing, ensuite chez un tailleur marocain. Puis, lorsque Zahra, ma sœur jumelle, de dix-sept ans sa cadette, s'était mariée, Yezza avait rechuté. Dans la tradition rifaine, ce sont les aînées qui quittent le foyer paternel les premières. Yezza avait très mal pris ce nouveau coup du sort. Il avait fallu l'interner. Après des semaines de soins intensifs et un suivi psychologique rigoureux, elle revint à la maison en parfaite étrangère. Les nerfs à fleur de peau, prenant n'importe quelle plaisanterie pour une agression frontale et ne s'entendant avec personne, elle se mit à nourrir des griefs contre ses proches et choisit de s'installer à Mons pour couper les ponts avec tout le monde.

Après son départ, je m'assoupis brusquement sur le canapé.

La sonnerie d'un téléphone me réveilla. Elle provenait de la chambre d'Yezza.

Dehors, le jour déclinait. Je réalisai soudain que j'étais vivant. Cela me fit un drôle d'effet.

Je me rendis compte que j'avais toujours la ceinture d'explosifs autour de la taille. Pareille à une seconde peau. Je l'avais complètement oubliée. J'allumai dans la salle de bains, me déshabillai, étalai le gilet de la mort par terre pour voir pourquoi la charge n'avait pas répondu malgré mes incessantes tentatives, constatai d'emblée que le fil qui partait du bouton-poussoir n'était pas relié au bon endroit. L'artificier s'était contenté de l'enrouler autour d'un bâton de TATP. En cherchant un peu plus, je découvris un minuscule téléphone portable dissimulé derrière le système de mise à feu. Je n'en crus pas mes yeux. Que fichait ce téléphone dans mon gilet et pourquoi, contrairement au poussoir, était-il branché directement à la charge ? Ce n'était pas ce qui avait été prévu. C'était à moi d'actionner le détonateur, *à moi seul*. Que faisait donc ce maudit téléphone dans ma ceinture de kamikaze ? Avait-on cherché à me faire exploser à distance ?…

Une colère monstrueuse aviva ma migraine. Je me pris la tête à deux mains pour l'empêcher de partir en morceaux.

Je me ressaisis, la bouche de nouveau remplie de sécrétions infectes. Après avoir mis un peu d'ordre dans mon esprit, je sectionnai les fils électriques qui reliaient le portable à la charge, retirai précautionneusement l'allumeur en faisant attention à ne pas le chauffer entre mes doigts car il risquait de me péter dans la main. Une fois le mécanisme désamorcé, j'enroulai la ceinture dans un drap et cachai le tout dans le débarras, au fond d'un coffre plein de savates usées et de vieilleries.

Le téléphone se remit à sonner dans la chambre d'Yezza.

Je ne décrochai pas.

Par la fenêtre, je surveillai la rue ruisselante de pluie, à l'affût d'une présence suspecte. Quelques boutiques étaient ouvertes ; trois hommes papotaient à l'abri d'un store ; un livreur chargeait des caisses dans sa camionnette.

La faim me dévorait le ventre. Hormis des croûtons de pain dans un sachet en plastique destiné à la poubelle, un bout de beurre et un reste d'oignon ramolli dans le frigo, je ne trouvai rien d'autre à me mettre sous la dent.

Je mangeai les croûtons jusqu'au dernier avant d'appeler ma sœur pour lui demander de nous acheter de quoi dîner.

— Tu n'es pas parti ?

— L'ami qui devait passer me prendre a eu un accident.

— Il y a des bus et des trains pour Bruxelles.

— Je suis fauché.

— Sans blague.

— J'ai perdu mon portefeuille dans la salle des fêtes. J'ai avisé la réception. Ils ne l'ont pas trouvé.

J'entendis Yezza renifler en grognant de mécontentement.

— Il y a un peu d'argent dans le tiroir de ma table de chevet. Prends le strict nécessaire, compris ?

— Je ne peux pas sortir. J'ai la crève.

Elle me raccrocha au nez.

Je pris une douche. L'eau n'éteignit pas le brasier dans ma tête.

Emmitouflé dans un vieux peignoir, je restai allongé sur le canapé, le téléphone douteux entre les mains. J'essayai de le mettre en marche ; il ne s'allumait pas. J'en déduisis que la batterie devait être à plat, ce qui expliquait peut-être pourquoi j'étais encore de ce monde, à mon corps défendant.

4.

— Pourquoi tu as mis le lave-linge en marche ? me reprocha ma sœur en rentrant. Tu aurais pu attendre mon retour. J'ai des trucs à laver moi aussi. Ça coûte cher, l'électricité.

Elle posa son sac de provisions sur la table de la cuisine et alla dans sa chambre préparer sa valise.

— C'est mon peignoir que tu as sur toi, je te signale, me lança-t-elle.

— Je n'ai rien à me mettre.

— Ce n'est pas une raison.

Je la vis qui entassait pêle-mêle des sous-vêtements, une robe, des bas, un chemisier, un foulard noir dans sa valise.

— Tu vas où ?

— À Bruxelles.

— Il est arrivé quelque chose à la maison ?

— Notre mère m'a demandé de l'accompagner à Paris.

— À Paris ?

— Tante Najet a perdu une fille dans les attentats qui ont frappé la France.

— Comment ça ?

— Je n'ai pas le détail. Je crois que la cousine a été tuée lors d'un concert. Maman beuglait au téléphone. À croire que c'est elle qui a perdu sa fille. Elle n'a jamais pu blairer sa sœur, et elle en fait tout un cinéma. J'ai été obligée de lui raccrocher au nez.

— Laquelle des deux cousines est morte ?

— Ça changerait quoi ? L'une ou l'autre, c'est le même drame, non ?

Elle parlait d'un ton saccadé, dénué d'émotion. On aurait dit qu'elle récitait un texte qu'elle n'aimait pas.

Après avoir bouclé sa valise, elle me bouscula en sortant de la chambre, visiblement contrariée de devoir me laisser derrière elle dans son appartement.

— Tu y vas en bus ?

— Mon patron m'emmène.

— Et tu rentres quand ?

— Arrête de me harceler avec tes questions, ça m'énerve.

— Ne dis à personne que je suis chez toi.

— Surtout, ne fais pas comme si tu étais chez toi. Ce n'est pas toi qui paies les charges. Je ne veux pas te trouver ici à mon retour, d'accord ?

— Je comptais m'en aller de toute façon. Au plus tard, demain matin. J'ai un stage à Anvers et je ne tiens pas à le louper.

Elle sortit en claquant la porte.

Par la fenêtre, je la vis s'engouffrer dans une vieille berline qui démarra avec un claquement de tuyau d'échappement.

Je n'avais rien mangé, ce soir-là. Un énorme malaise s'était substitué à ma faim. J'étais resté sur le canapé à fixer le plafond, claustré dans le minable deux-pièces. Je me serais senti moins à l'étroit dans une tombe. Ma sœur ne disposait ni de télé ni de radio. C'était peut-être mieux ainsi. J'avais besoin de ne rien entendre. Je ne voulais pas penser à ma tante, ni à aucun mort sur terre. La guerre est une loterie où les dommages collatéraux, les balles perdues, les erreurs de calcul et les dégâts du tir ami font partie de la donne. Dans ce genre de confrontation jusqu'au-boutiste, la mort et la vie relèvent de la stricte fatalité – c'est-à-dire de la volonté de Dieu. Il n'y a pas de place pour le cas de conscience, et le bénéfice du doute y est proscrit. Que l'on périsse pour ses convictions ou parce qu'on a été au mauvais endroit au mauvais moment ne remet rien en cause. Ma cousine est décédée pendant qu'elle festoyait dans un concert. Je suis vivant alors que je devais mourir. Ce sont les foucades du destin. Personne n'échappe au sien.

J'avais passé trois jours enfermé dans l'appartement de ma sœur, à compter les minutes et à courir à la fenêtre dès qu'une voiture freinait brutalement dans la rue. J'étais complètement coupé du monde avec, pour toute compagnie, un fantôme et les mêmes questions. Qu'étaient-ils en train de penser de moi, les *frères* ? J'entendais Ali le chauffeur crier : « Je vous disais bien que c'était un trouillard. Il a fallu que Driss l'accompagne à la station du RER. Sûr qu'il s'est barré dès que Driss lui a tourné le dos. »

Je préférerais n'importe quelle déchéance au statut de déserteur.

Pour faire le vide dans ma tête, j'avais lavé la vaisselle qui encombrait l'évier et un tas de linge oublié dans une corbeille, mis de l'ordre dans le bazar que ma sœur répugnait à ranger. Je trouvai une meilleure cachette pour ma ceinture d'explosifs dans le débarras, ainsi que des affaires qui m'appartenaient et que j'avais oublié d'emporter lors de mes différents passages à Mons. Dans une boîte à chaussures, je découvris, au milieu de cartes postales jaunies, un bracelet en or cassé, une montre au cadran descellé, des pièces de monnaie datant d'avant l'avènement de l'euro, un paquet de vieilles lettres timbrées à l'effigie du roi Hassan II jamais ouvertes. Je me rendis compte que j'étais en train de profaner l'intimité de ma sœur ; au lieu de me ressaisir, je pris un malin plaisir à assouvir ma curiosité.

Le quatrième jour, à bout, j'appelai chez moi en priant que ce ne soit pas mon père qui réponde. Ce fut Zahra, ma sœur jumelle, qui décrocha.

— Comment va la famille ?

— Maman et Yezza sont à Paris. Papa ne les a pas accompagnées. Il est alité dans sa chambre. Tu as su pour Anissa ?

— Oui.

— C'est affreux.

— C'est la vie… Personne n'a demandé après moi ?

— Non. Tu es où ?

— En stage, à Anvers. Tu es sûre que personne n'a essayé de me joindre ?

— On n'a reçu aucune visite. Pourquoi ? Tu attendais quelqu'un ?

— J'ai chargé un ami de passer me chercher quelques habits à la maison. Mon stage risque de se prolonger et je n'ai pas assez de fringues pour me changer.

— Je mets quoi dans ton sac au cas où ton ami passerait ?

— Pas la peine. Je compte rentrer bientôt.

J'étais moins tendu en raccrochant.

Ma sœur aînée ne fut pas ravie de me trouver encore chez elle. Dégoûtée, elle se débarrassa de son voile intégral dans le vestibule avant de se ruer dans sa chambre pour défaire sa valise.

Je ne me souviens pas de l'avoir vue se prosterner sur un tapis de prière ni franchir le seuil d'une mosquée depuis sa toute première dépression nerveuse. Je crois qu'elle portait le voile intégral en signe de deuil. Quelque chose en elle était mort et elle tenait à se le rappeler chaque fois qu'elle devait sortir à l'air libre.

En guerre contre elle-même, Yezza considérait ses proches, ses voisins et le monde entier comme de faux alliés ; son sale caractère était et sa carapace et sa façon de s'en vouloir d'être encore là où personne ne trouvait grâce à ses yeux.

— Mon stage a été annulé, lui dis-je.

— Tu comptes en attendre d'autres chez moi ?

— Je suis sans le sou et je ne connais pas grand monde dans le coin…

Elle me jeta un regard noir.

— Je croyais qu'un ami à toi s'était marié par ici.

— Il est parti en voyage de noces.

Elle extirpa d'un porte-monnaie des billets de banque froissés et me les jeta presque à la figure.

— Il y a un bus pour Bruxelles toutes les…

— Tu me chasses ?

— Prends-le comme bon te semble. Je suis dans mon appart et j'ai besoin d'être seule.

J'empochai les billets d'une main faussement hésitante.

— Ça s'est passé comment, à Paris ?

— D'après toi ?

— Et notre mère ?

— Ça lui passera.

Puis elle me demanda de sortir de sa chambre pour qu'elle puisse se changer.

Je rejoignis la rue comme un guerrier le territoire ennemi. Décidé à en découdre. J'avais même un peu honte de m'être terré chez ma sœur. Je me fichais éperdument d'être arrêté. Que risquais-je, moi, un mort sursitaire ? Qu'on me jette derrière les barreaux ? Les prisons regorgeaient de mes *frères*.

Une seule chose me torturait : comment convaincre Lyès que l'échec de ma mission incombait à l'artificier qui avait bâclé son travail. J'en apportais la preuve flagrante : le téléphone trouvé dans ma ceinture d'explosifs. Lyès constaterait par lui-même que je n'étais pas un lâche.

Lorsque le malentendu serait dissipé, j'exigerais des explications. C'était à moi de décider du moment de ma mort. Pourquoi avait-on cherché à me fumer à distance ? L'imam Sadek attestait que, de tous les martyrs, les kamikazes étaient ceux que le Seigneur bénissait le plus. Mourir lors d'un accrochage pour la cause est un privilège, mais se sacrifier en kamikaze est l'acte de foi le plus prestigieux ; il vaut, à lui seul, mille batailles. J'étais destiné au *Firdaous*, où seuls les prophètes et les saints sont admis.

Je pris l'autocar pour Bruxelles. Il y avait une douzaine de passagers à bord ; un couple avec trois fillettes blondes habillées à l'identique, un vieillard anorexique, blanc comme un os, une dame énorme à l'avant, quelques hommes silencieux et un jeune Maghrébin qui se la jouait décontracté, la visière de la casquette rabattue sur la nuque, des écouteurs dans les oreilles. « La génération frime-baskets-et-piercing, s'indignait Lyès. Aussi inutile que les ronces qui sèchent au soleil. »

Durant tout le voyage, le jeune Maghrébin demeura lové sur son siège, la tête dansante, indifférent au paysage qui défilait de part et d'autre du bus. Sa désinvolture, ses fringues de clodo, sa casquette ridicule et la grotesque coupe de ses cheveux me donnaient la nausée.

L'onde de choc des attentats de Paris frappait de plein fouet la Belgique.

À Bruxelles, l'ambiance était suffocante. La perplexité faussait les traits de certains visages, la méfiance en défigurait d'autres. À la gare routière, une sécurité draconienne déployait son dispositif. On fouillait les sacs, on contrôlait les papiers au faciès.

Je me dépêchai de quitter les lieux.

J'appelai Rayan pour qu'il m'héberge un ou deux jours, le temps de *régler mes comptes avec mon père.*

— Aucun problème, Khalil. Je t'attendrai chez moi vers 18 heures.

— Tu ne peux pas, maintenant ?

— Je suis à Cambrai. J'ai tout un chantier, ici.

Il était midi moins le quart. Je ne savais quoi faire de ma journée. Il me restait dix euros et soixante centimes de l'argent que m'avait donné ma sœur. Je pris place dans un fast-food, commandai une portion de pizza végétarienne, un soda et un café sans sucre.

Vers 13 heures, je rejoignis à pied le quartier où habitait Rayan. En passant devant une mosquée, je m'aperçus que je n'avais pas prié depuis *el-asr* du vendredi 13 novembre. Je décidai de poursuivre mon chemin, de crainte qu'il y ait des agents du renseignement dans le coin.

Une boutique de téléphonie était ouverte. Je confiai le portable suspect au réparateur. Ce dernier tenta de l'allumer sans succès, le tourna et retourna, ébaucha une moue dubitative :

— C'est un vieux modèle.

— Il a une grande valeur sentimentale pour moi.

— C'est pas ça qui va le réparer.

— Je crois que la batterie est à plat.

— Je ne pense pas avoir un chargeur pour ce type d'appareil.

— S'il vous plaît, voyez ce qu'il a. C'est un cadeau de mon père qui est décédé.

Le réparateur me pria d'attendre, s'éclipsa derrière la tenture de son arrière-boutique. Il revint au bout de cinq minutes.

— Je suis désolé, mon gars. Ce n'est pas un problème de batterie. Votre machin est grillé.

— Comment ça, grillé ?

— Ben, grillé. Irrécupérable. Dans quelle langue faut-il vous le dire ?

Je le remerciai et retournai errer dans les rues.

J'étais tellement écœuré et fourbu à la fois que je m'endormis dans un jardin public, à proximité de trois poivrots déguenillés et d'un jeune sans-abri qui faisait la manche pour nourrir son berger allemand.

Rayan me trouva devant l'entrée de son immeuble, rue des Bogards. Il me fit monter dans son deux-pièces où il vivait seul. L'appartement était propre et agencé avec goût. Le salon était assez grand, meublé d'un canapé Ikea, d'une commode et d'une télé à écran plat posée sur une table en verre. Une vaste photographie panoramique de New York des années 1930 occupait la moitié d'un mur. En face, une petite bibliothèque fournie. La chambre donnant sur le balcon était lumineuse et la douche d'un volume correct.

— Toujours aussi nickel, dis-je à Rayan.

— Nous partageons la même femme de ménage, ma mère et moi.

— Quelle chance.

— Il ne s'agit pas de chance. Il m'arrive de faire des heures sup' chez des particuliers pour améliorer l'ordinaire.

Il m'invita à prendre place sur le canapé.

Sur la commode en acajou trônait la photo d'une fille souriante. Elle était jolie, blonde et rayonnante, avec le bleu de la mer dans les yeux.

— Marie est standardiste dans notre boîte. On va se fiancer en janvier.

— Elle s'est convertie à l'islam ?

— Elle n'est pas obligée.

— Comment ça, elle n'est pas obligée ? Tu es musulman, non ?

— Je l'aime et elle m'aime, c'est ce qui importe.

Il me dévisagea de guingois :

— Tu n'as pas bonne mine, dis donc. Tu n'arrives pas à te remettre des événements de Paris ?

— J'ai l'air de me plaindre ?

— Tu as l'air de sortir d'une caverne hantée. Remarque, ce n'est pas évident. Ce qu'il s'est passé à Paris est glaçant. J'en frissonne encore. Il faut être fou à lier pour massacrer les gens de cette façon.

— Je ne veux pas parler de ça, Rayan… J'ai un autre service à te demander.

— Que je t'emmène à Paris à 3 heures du matin ?

— Je suis sérieux. J'ai besoin d'un peu de thune. J'ai perdu mon téléphone et mon argent à Paris.

— Je vais me fiancer bientôt et je n'ai pas suffisamment d'argent de côté…

— Je ne cherche pas un portable haut de gamme. Juste un de ces machins à deux sous pour pouvoir joindre ma jumelle de temps en temps. Je m'inquiète pour la vieille. Ma tante maternelle a perdu une fille dans les attentats de Paris.

— Tu as perdu une cousine dans les attentats ?

— Oui.

— Ah ! Mon Dieu. Je suis sincèrement désolé. Je ne sais pas quoi dire. Toutes mes condoléances. Je suis de tout cœur avec toi.

Il se rendit dans sa chambre et revint avec un vieux portable.

— Il est ancien, mais il fonctionne encore. Tu t'achètes une carte SIM rechargeable et tu appelles qui tu veux.

— Je n'ai pas de quoi m'acheter un rasoir jetable.

Il serra les lèvres, retourna dans sa chambre et m'apporta cinq billets de vingt euros.

— Je te les rendrai dès que possible.

— Que de promesses depuis le temps, me fit-il en riant. Bon, je suppose que tu as faim. Et si je nous commandais deux McDo ? Il faut que je file aider un client à peaufiner son site sur le Net.

— C'est toi le patron.

Après avoir mangé, Rayan rejoignit son client et moi une boutique de téléphonie. Je m'achetai une puce pour mon téléphone, et de l'aspirine dans une pharmacie. De retour chez Rayan, je pris une douche avant de m'effondrer sur le canapé. Je pris la télécommande, mais je n'eus pas le courage d'allumer la télé. J'avais besoin de calme. Un seul souci, et il était de taille, m'obsédait : m'expliquer avec l'émir au sujet du ratage de ma mission.

Rayan, Driss et moi sommes nés entre mars et juillet 1992. Dans le même immeuble, rue Melpomène, à Molenbeek. Rayan au troisième étage, moi au premier et Driss au rez-de-chaussée. La mère de Rayan gérait un magasin de prêt-à- porter ; celle de Driss était caissière dans un supermarché ; la mienne gardait les enfants des voisins en échange de quelques billets à la fin du mois. Mon père n'y voyait pas d'inconvénient. Il était même ravi que ma mère subvienne à ses besoins personnels sans le mettre à contribution. Il se disait pauvre, en vérité il était radin. Je ne me souviens pas de l'avoir surpris en train de glisser une pièce de monnaie à quiconque.

Rayan, Driss et moi avions appris à tenir sur nos pattes sous le même toit et nous nous étions cassé la figure sur le même carrelage. Ma mère nous avait élevés comme des triplés. À trois ans, Rayan fut confié à une crèche, Driss et moi restâmes à la maison. Plus tard, l'école nous réunit tous les trois. Nous n'étions pas dans la même classe, mais la cour de récréation nous appartenait. Le soir, nous nous retrouvions de nouveau chez l'un d'entre nous. Rayan était un élève brillant, ce qui avait attiré sur lui les foudres des cancres qui l'avaient surnommé « Biberon » parce que sa mère, qui était belle et svelte, l'aurait nourri au lait en poudre pour ne pas s'abîmer les seins. Bien sûr, ce n'était pas vrai. La mère de Rayan était une Berbère pure souche et ne dérogeait pas aux traditions ancestrales. Son mari tué dans un accident de la route, elle élevait son fils unique avec une totale abnégation. Rayan ne manquait de rien. La première fois que j'avais pédalé sur une bicyclette, c'était sur la sienne ; la première fois que j'avais manipulé les manettes d'une console de jeux vidéo, c'était dans sa chambre. J'avoue que je le jalousais un peu. Il était toujours propret, bien coiffé, bien habillé, poli comme un galet. Pendant que Driss et moi étions en train de nous gondoler comme des baleines au milieu de la bande à Moka en écoutant le vieux hibou nous relater ses tribulations d'homme de tous les dangers, Rayan révisait ses leçons et ne passait au lit qu'après avoir montré ses devoirs dûment accomplis à sa mère.

Mon père n'avait jamais jeté un œil sur mes bulletins, ornés pourtant de notes catastrophiques. Il préférait picoler et se ruiner au tiercé. Quant à ma mère, analphabète, elle était incapable de distinguer une facture d'une convocation. En réalité, à la maison, tout le monde s'en foutait. Je séchais les cours autant de fois que je voulais, personne ne s'en apercevait.

Au collège, les choses ne s'améliorèrent guère. Driss et moi passions notre temps à faire les pitres au dernier rang de la classe tandis que Rayan récoltait les félicitations. Lorsque notre bûcheur collectionnait les louanges, il nous arrivait, à Driss et à moi, de rendre nos copies vierges juste pour en mettre plein la vue à nos camarades de classe. Les colles et les sommations de l'instit nous gonflaient à bloc ; nous étions fiers d'être montrés du doigt.

Rayan poursuivit ses études dans un lycée privé choisi avec soin par sa mère. Dès la seconde, Driss décrocha ; un mois plus tard, je brûlai mon cartable et mes cahiers pour courir le rejoindre dans une menuiserie où il travaillait au noir.

As de l'informatique, Rayan n'eut aucune peine à se faire recruter par une solide société de management. Driss excella en menuiserie, où il laissa deux doigts. Moi, je vivotais de petits boulots et d'air frais, sans trop me soucier du lendemain.

Chacun de nous menait sa barque avec les moyens du bord, mais nous étions restés les meilleurs amis du monde, tous les trois. On se retrouvait souvent, on allait voir un film ensemble et on s'appelait régulièrement au téléphone, même si Rayan semblait moins disponible depuis que Driss et moi nous avions commencé à nous impliquer dans les projets de l'association Solidarité fraternelle.

5.

Le lendemain, vers 10 heures, je me rendis chez Dominique, dit Buffa, une vieille connaissance qui habitait dans mon ancien quartier, à Molenbeek. Il tenait un garage de réparation et de location de motos. À nos dix ans, Buffa et moi avions été des ennemis jurés. Chaque fois qu'il me croisait sur son chemin, il me traitait d'« enculé d'Arabe » et de « charmeur de serpents » en me montrant son bas-ventre. Il crevait d'envie de me flanquer une raclée. J'étais trop frileux pour relever le défi. Un soir, de retour du parc des Muses où Moka avait établi son QG, Buffa m'avait intercepté dans une ruelle déserte. La bagarre étant inévitable, je fus contraint de me défendre. Je fis mieux que ça. Buffa rentra chez lui la figure en sang. Depuis, nous avions fait la paix et nous étions devenus copains.

Buffa n'était pas instruit. Ressortissant de l'école buissonnière, il avait négocié sa puberté dans la tourmente. Avec le temps, il s'était rangé du bon côté des choses. Marié à dix-neuf ans et père d'un gosse, il s'occupait de sa petite famille et semblait se satisfaire de ce que chaque jour lui prêtait. C'était raisonnable, sans plus. Il n'avait pas d'idéal. Pour l'imam Sadek, un bon citoyen ne fait pas obligatoirement un bon croyant, mais comme Buffa était chrétien, il était excusable. La Bible est une œuvre humaine, donc imparfaite, ce qui rendait l'exercice de la foi chez les sujets d'Issa le Christ moins essentiel. Buffa l'admettait ouvertement. Il reconnaissait qu'il y avait quelque chose, dans l'islam, qui relevait du miracle, et trouvait notre façon de pratiquer notre religion beaucoup plus sincère que celle de sa communauté. Si j'avais continué de le voir (l'imam Sadek nous recommandait de ne pas fréquenter les non-musulmans), c'était précisément pour cette raison : Buffa n'était ni raciste ni islamophobe.

— J'ai besoin d'une bécane pour une urgence.

Buffa écarta les bras :

— T'as qu'à te servir.

— Je te la rendrai avant midi.

— Pas de problème. Tâche seulement de ne pas l'esquinter comme la dernière fois.

— Promis.

Pendant que je démarrais la moto, Buffa essuya ses mains maculées de cambouis dans un torchon et revint vers moi :

— Tu sais où il est, Driss ?

— Je ne l'ai pas vu depuis une semaine. Pourquoi ?

Buffa regarda d'abord autour de lui avant de m'alarmer :

— Il paraît que la police a fait une descente chez lui. On a emmené sa mère au poste.

Mon ventre se contracta violemment.

— Tu crois qu'il est parti faire le djihad en Syrie ?

— Comment veux-tu que je le sache ? C'est des choses qu'on ne révèle à personne.

— C'est ton ami intime. Il t'a vraiment rien dit ?

— Non. J'suis pas au courant.

Je sautai sur la moto et m'éloignai au plus vite du garage.

Je n'arrivais pas à piloter la bécane. J'avais l'impression que mes jambes et mes bras s'engourdissaient. Je quittai la chaussée pour me ranger sur une esplanade, sortis mon téléphone et appelai ma sœur jumelle pour lui demander si personne n'était passé prendre mes affaires, *comme prévu*.

— L'ami en question ne s'est pas manifesté, m'assura Zahra. Tu m'as dit que tu n'avais plus besoin de vêtements et que tu n'allais pas tarder à rentrer.

— Le stage se complique ici, à Anvers. Je n'ai pas reçu de courrier ?

— Non.

— Tu es sûre que personne n'est venu me chercher à la maison ?

— Non, personne.

Je mis dix bonnes minutes à décompresser, avant de remonter sur la moto.

L'artificier habitait dans une ferme isolée à une vingtaine de bornes de Bruxelles, sur la route de Ninove. La piste qui menait chez lui traversait des champs en friche. Il n'y avait pas une bâtisse à des lieues à la ronde. Je suivis un chemin caillouteux bordé d'arbres tristes puis, un peu plus bas vers le ruisseau, je pris un sentier de chèvres jusqu'à la ferme délabrée où notre bricoleur vivait seul, sans femme ni enfants, en élevant des poulets et en confectionnant des « colis » pour certains émirs de la région. J'étais venu deux fois à cette adresse strictement confidentielle avec Ali le chauffeur récupérer des « commandes spéciales » pour Lyès.

Je trouvai l'artificier dans une cabane miteuse derrière le hangar grouillant de volaille. Il était en train de réparer la roue d'une brouette. Alerté par le vrombissement de ma moto, il s'était contenté d'écarter les battants du portail pour voir qui s'amenait.

En m'identifiant, il se remit à souder le devant de sa brouette.

Il n'était pas content de me revoir.

— On m'a pas prévenu d'un passage aujourd'hui, grogna-t-il sans s'arrêter de travailler.

— Il ne s'agit pas d'une visite de courtoisie, non plus.

Il me fusilla du regard.

— Tu n'as pas le droit de rappliquer chez moi de ton propre chef. Tu es en train d'enfreindre les instructions.

— C'est important pour moi.

— Lyès est au courant ?

— Il fallait que je te voie, toi d'abord.

Il posa son chalumeau sur une grande table en chêne, essuya ses mains sur sa salopette et se campa sur ses jambes pour me toiser.

— Tu as quoi, dans le crâne ? De la boue ? Je te dis que tu n'as rien à fiche chez moi. Ce n'est pas un moulin, ici. Tu veux foutre le bordel dans le secteur ou quoi ? Personne n'est habilité à me rendre visite sans l'aval de son émir. Tu te rends compte des problèmes que tu vas avoir avec le tien ?

Je claquai le téléphone suspect sur la table :

— Il était grillé !

L'artificier fronça les sourcils, considéra en silence le téléphone. Il ne voyait pas le rapport.

— Ton machin ne fonctionne pas.

— C'est quoi, ce délire ?

— Je ne suis pas un lâche. C'est toi qui as merdé. Et c'est à toi d'expliquer à Lyès pourquoi je suis encore en vie. Ton foutu téléphone est hors d'usage. Tu aurais dû le contrôler avant de le placer sur ma ceinture.

Soudain, il pâlit. Il venait de saisir le sens de mes propos et la raison de ma présence sur ses terres. Il recula d'un pas, le plat de la main sur le front, demeura ainsi une minute, le souffle brouillon ; après avoir recouvré un semblant de lucidité, il leva les deux bras à la hauteur de sa poitrine pour me tenir à distance.

— Écoute-moi bien, toi. Je n'ai rien entendu. Tu vas dégager d'ici tout de suite.

— J'ai besoin de prouver à Lyès que si j'ai échoué dans ma mission, ce n'est pas faute d'avoir essayé. On m'a refilé un poussoir pour la forme, mais le téléphone censé me faire sauter à distance ne valait pas un clou.

— Je vérifie toujours mes appareils.

— Le réparateur dit que ce modèle est dépassé et complètement grillé.

— Quel réparateur, bordel ? Tu te rends compte de ce que tu as fait ?

— Y a pas de risques. C'était dans une boutique de téléphonie.

— Espèce d'abruti.

— Je voulais savoir pourquoi il ne fonctionnait pas.

— Tu l'avais peut-être tripoté.

— J'ignorais jusqu'à son existence. C'est en vérifiant l'état de ma ceinture que je l'ai découvert branché au système d'allumage alors que le poussoir était juste enroulé autour d'un bâton d'explosif.

— Je ne suis pas censé m'expliquer avec toi. Ma mission consiste à préparer des « colis ». Je n'ai pas le droit de savoir à qui ils sont destinés ni pour quel usage.

— Qui t'a autorisé à trafiquer le poussoir et à me coller ce téléphone ?

— Je ne vois pas de quoi tu parles. Je ne suis ni dans la confidence ni dans l'élaboration des projets. Je ne suis pas censé savoir qui porte la ceinture que je confectionne. Et je n'assure pas le service après-vente, tu entends ? Maintenant, tu te casses, et ne reviens plus chez moi. Si tu as des réclamations, adresse-toi à ton émir.

— Il faut que tu reconnaisses que c'est ta faute si je n'ai pas accompli ma mission.

Il balaya d'une main hargneuse le chalumeau sur la table et courut s'emparer d'une hache accrochée à un battant du portail.

— Encore un mot, et je te défonce le crâne. Après, je te foutrai dans un trou en couvrant ta charogne avec la fiente de mes poulets. Je te garantis que le plus performant des chiens ne trouvera pas ta trace. Alors, dégage. Pour moi, tu es mort depuis si longtemps que je ne me souviens plus de toi.

La bouche effervescente, les yeux exorbités, il n'attendait qu'un geste de ma part pour me fendre le crâne. Ce n'était pas un être humain que j'avais en face moi, mais un lycanthrope prêt à me dévorer tout cru.

J'enfourchai ma bécane et regagnai Bruxelles, le cœur pressé comme un citron.

Il y avait du monde dans le garage de Buffa. Je reconnus Jérôme, un intermittent des mandats de dépôt. Il résidait à Molenbeek où il passait pour la réincarnation d'Arsène Lupin spécialisé dans le cambriolage des quartiers huppés. Il devait avoir trente ans et en paraissait le double. Près de lui se tenait Éric, le frère aîné de Buffa, qui tenait un garage de mécanique automobile, rue Korenbeek. Il était marié et avait trois gosses. Assis sur le siège d'une moto démontée, Fred le Gaucher dégustait un casse-croûte aux œufs durs. Fred était mécanicien, lui aussi. Il avait été dans l'armée avant de se faire virer pour une histoire de vol de pièces détachées.

Tout ce beau monde se tut lorsque je rangeai la bécane.

— Je vous dérange ? lançai-je, susceptible.

Buffa me fit signe de ne pas rester sur le pas de la porte.

— On dirait que j'interromps un conseil de famille.

— T'es pas au courant ? me fit Éric en se trémoussant.

— Ça dépend.

— C'est à propos de ton ami Driss.

— J'ignore où il est. On n'a pas la tête dans la même casquette.

— Je crains qu'il ne puisse plus trouver de chapeau qui corresponde à son tour de tête, dit Fred, la bouche débordante de jaune d'œuf. Ton pote, il a été identifié. Il fait la une des JT, ce matin. C'est un des kamikazes du Stade de France.

Je feignis la stupéfaction. Buffa se précipita pour m'empêcher de tomber.

— On est tous éberlués, me dit-il. Molenbeek est sous le choc. Personne n'imaginait Driss capable d'une chose pareille.

— Moi, j'arrive pas à le croire, renchérit Jérôme, visiblement chamboulé. Driss a toujours été un bon gars. Il ne donnait pas l'impression de ruminer des trucs de sauvage. Vraiment, je suis sur le cul. Je l'aimais bien, moi.

Buffa poussa une chaise dans ma direction.

— Assieds-toi, je vais te chercher un verre d'eau.

Je fis mine de m'affaler sur le siège et me pris la tête à deux mains car je ne parvenais pas à afficher une réelle émotion.

Jérôme me tapa sur l'épaule.

— Tu ne te doutais de rien ?

— Comment veux-tu qu'il se doute de quoi que ce soit ? dit Fred. Ces forcenés n'en parlent même pas à leur meuf. Putain ! Se faire sauter de son propre chef. Ça dépasse l'entendement. Je suis pas fichu de m'arracher une dent tout seul, moi. Comment ils font pour aller à la mort comme à la parade ?

Buffa revint avec un verre d'eau. Je bus d'une traite, la colère en gestation. Les propos de Fred me lardaient ; je luttais en mon for intérieur pour ne pas lui sauter à la gorge.

— En plus, il est con, poursuivit Fred. Il a été sa seule victime.

— On lui a peut-être tiré dessus avant qu'il active sa ceinture.

— Si c'est le cas, c'est bien fait pour sa gueule.

Je n'en pouvais plus.

Je me levai pour quitter le garage. Buffa m'accompagna dans la rue en me tenant par le bras.

— Ça va aller ?

— Oui, tu peux me lâcher.

— C'est terrible, n'est-ce pas ? Driss, kamikaze ? Dans quel foutu monde on vit ?

— Driss est mort en martyr, Buffa.

Il fronça les sourcils en s'arrêtant net.

— C'est parce que c'était ton ami que tu cautionnes son geste.

— Je ne juge personne, moi.

Je traversai la chaussée et empruntai la première rue qui s'offrait à moi, sans me retourner.

J'avais erré durant des heures avant de me réfugier dans un jardin public. Ce n'était plus une éventuelle descente de police chez moi qui m'inquiétait. Quand on a choisi de se sacrifier pour une cause, ce qui relève de la vie n'a plus d'importance. Ce qui me préoccupait, c'était ce que j'aurais à dire à Rayan. Il devait être au courant au sujet de Driss, comme tout le monde, et était probablement en train de se poser un tas de questions, à l'heure qu'il est, à propos de ma présence à Paris lors des attentats. Il voudrait sans doute comprendre. Il me fallait garder la tête sur les épaules et réfléchir afin de trouver les bonnes réponses.

Vers 16 heures, je pris mon courage à deux mains et me rendis rue des Bogards. La voiture de Rayan était là, ce qui n'augurait rien de bon. Rayan ne rentrait guère chez lui pendant les heures de travail. Il n'ouvrit pas lorsque je sonnai à sa porte. J'utilisai la clef qu'il m'avait laissée. Hormis l'eau qui coulait dans la salle de bains, l'appartement était plongé dans un silence de morgue. J'appelai Rayan ; il ne répondit pas. En écartant la toile cirée de la douche, je le découvris assis par terre, tout habillé, tandis que l'eau cascadait sur lui. Il était pâle, exsangue, la figure complètement fondue ; il pleurait.

Il leva sur moi des yeux ravagés.

— Tu savais, n'est-ce pas ?

Sa voix semblait émaner d'un puits.

— Oui.

Il hocha la tête, renifla, passa mollement le revers de la main sur son nez.

— Tu n'étais pas à Paris pour voir ta tante ?

— Non.

Il hocha de nouveau la tête, consterné.

— Je m'en doutais un peu.

— Mais ce n'est pas ce que tu crois, Rayan.

— Ah bon ?

— J'étais à Paris pour le dissuader.

Il esquissa un sourire dépité.

— Pour le dissuader ?

— C'est la vérité. Tu aurais fait quoi à ma place ?

— Pourquoi tu ne m'as rien dit ?

— Il était déjà dans le bus. Je pensais qu'il allait à Paris en touriste. C'est en lui donnant l'accolade que j'ai senti la ceinture autour de sa taille. Il est devenu tout rouge quand il a constaté que j'avais compris. J'ai été obligé de monter avec lui dans le bus pour tenter de le raisonner. Mais ce n'était plus le Driss que nous connaissions. Il ne voulait rien entendre. Je l'ai supplié, et même menacé d'alerter le chauffeur et les passagers. Il m'a ri au nez. « Ils n'auraient pas le temps de faire leur prière », qu'il m'a glissé à l'oreille. Je n'en revenais pas. Il n'aurait pas hésité à faire sauter le bus, et moi avec. Il n'était pas dans son état normal, je t'assure. On aurait dit qu'il était téléguidé.

Quand on est arrivés à Paris, il a profité de la foule pour me semer. Je l'ai cherché partout, mais il s'était volatilisé.

Je mis une telle conviction dans mon mensonge que Rayan cessa de me dévisager. Il se remit à s'essuyer le nez sur le revers de la main. Je guettai sa réaction comme un inculpé la sentence. Rayan se recroquevilla sur lui-même et ne dit plus rien.

Je fermai le robinet.

Je l'avais aidé à se déshabiller et à enfiler son pyjama. Rayan s'était laissé faire comme un enfant. Il était en état de choc.

Couché en chien de fusil sur son lit, il maintenait l'oreiller sur sa tête, le genou enfoncé dans le ventre ; je crois qu'il cherchait à étouffer quelque chose en lui.

Je préparai à manger.

À table, Rayan fixait sans le voir le plat devant lui, les mains sur les tempes. Soudain, il se leva et courut dégueuler dans les toilettes. Après, il retourna se coucher.

J'ingurgitai sa part et la mienne, vidai une bonne partie du frigo sans parvenir à apaiser la faim vorace qui me dévorait. Je ne me souviens pas d'avoir connu une telle boulimie. Je me sentais en mesure d'avaler la terre entière. Pareil à un sablier, plus je me remplissais le ventre, plus je me vidais de la tête.

Rayan n'arrêtait pas de s'agiter et de baragouiner dans son sommeil.

Je pris place sur le canapé, dans le salon.

L'écran noir de la télé me renvoyait à l'abîme de mon esprit.

Je ne savais quoi faire.

Dans mon rêve, j'errais au milieu d'une clairière obscure. Les arbres alentour étaient dénudés. Leurs branches rappelaient des griffures. L'endroit était lugubre. Une brume cendrée s'accrochait aux buissons. Au bout d'un sentier raviné d'ornières, Driss m'attendait, nu de la tête aux pieds. Il était maigre, le visage couleur de poussière, le torse tailladé. À côté de lui, un sanglier se vautrait dans ses entrailles, la gueule ouverte. J'avais froid. Mes pieds s'enfonçaient dans la fange. Driss me souriait tristement. « C'est pas la joie », me dit-il. Il me montra ses mains d'où s'échappait une fumée blanche. Soudain, surgissant de la brume, une hache ensanglantée fendit l'air dans ma direction.

Je me réveillai en sursaut.

En ouvrant les yeux, j'aperçus une ombre assise sur le rebord de la fenêtre.

— Rayan ?

La silhouette, qui se découpait nettement contre la vitre, ne réagit pas.

Je repoussai la couverture, cherchai à tâtons le commutateur.

— N'allume pas.

Je m'extirpai du canapé et m'approchai de la fenêtre. Rayan contemplait la rue qu'éclairait un lampadaire. Il bruinait dehors.

— Tu es souffrant ?

— Ça ne me rentre pas dans le crâne. Il n'était pas idiot, Driss. Il savait ce qui est bien et ce qui ne l'est pas.

— Il avait sûrement ses raisons.

— Quelles raisons y aurait-il dans l'insensé ? s'écria-t-il dans une giclée de postillons. Nous avons un cerveau pour réfléchir. Ce qui est mal est mal, rien ne le justifie et rien ne le minimise. Une personne raisonnable n'obéit qu'à sa conscience. Qu'a-t-il fait de la sienne, Driss ?

— Lui seul avait la réponse. Et il n'est plus là pour te la donner. C'est pour ça qu'il ne faut pas le juger.

— Je ne le juge pas, je le condamne. Sans circonstances atténuantes. Je le condamne pour avoir été stupide au point de s'estimer moins important que les autres.

— Il s'est sacrifié pour Dieu, pas pour les autres.

Il se tourna vers moi, la bouche tordue.

— Tu approuves ce qu'il a fait ?

— Que j'approuve ou désapprouve, ça changerait quoi ? Ce qui est fait est fait.

— Est-ce que tu mesures l'étendue du désastre ? Driss voulait tuer des gens qui ne lui avaient rien fait. Où est Dieu dans tout ça ? Il s'agit de barbarie. C'est lâche, minable et triste…

— Tu vas réveiller tout l'immeuble.

— Je m'en fiche. Je veux que la terre m'entende d'un bout à l'autre. Dieu n'est pas un chef de guerre, encore moins le parrain d'une organisation criminelle. Il est écrit dans le Coran que celui qui tue un être aura tué l'humanité entière. Alors, à quoi riment ces massacres gratuits ? Pourquoi faut-il faire croire que lorsque le muezzin appelle à la prière, c'est l'appel à l'agonie que l'on doit entendre ?

— Attention, Rayan, tu es en train de blasphémer.

— Ah oui !

— Tout à fait. Ta colère te fait dire n'importe quoi. Retourne te coucher.

Il se dressa d'un bond et alluma dans le salon. Il revint vers moi, les prunelles éclatées.

— Je suis chez moi, pas dans le dortoir d'un internat. Je me couche quand je veux, compris ? Et je juge qui je veux. Rien ne légitime ce que Driss a fait. Ni les louanges de ses émirs ni les oraisons funèbres de ces charlatans qui ont pris Dieu en otage avant de se substituer à lui.

Il se pencha davantage sur moi, l'haleine ardente :

— Est-ce que tu es en train de défendre Driss, Khalil ?

— C'était mon ami.

— C'était le mien aussi.

— Alors, ne l'accable pas. Il n'est plus là pour se défendre.

— Parce que tu le crois défendable ?

Il me considéra longuement, les commissures de la bouche laiteuses. Son souffle résonnait contre mes tempes comme le chuintement d'une canalisation fissurée. Nous nous regardâmes droit dans les yeux. Rayan donnait l'impression de me découvrir pour la première fois de sa vie. Moi, je le voyais brûler en enfer, pendu par la langue au-dessus d'un volcan.

Je n'avais pas retrouvé le sommeil.

J'en voulais à Rayan ; je lui en voulais de se croire plus intelligent que les milliers de braves qui irriguaient de leur sang la voie du salut ; je lui en voulais de tourner le dos aux siens, de se faire passer pour ce qu'il ne serait jamais : un bon citoyen intégré, lui, un vulgaire assimilé. Il n'avait pas à juger, encore moins à condamner Driss. Rayan n'avait même pas de camp. Il n'était rien d'autre qu'un figurant relégué au fond des coulisses, sans idéal et sans cause. Que savait-il de la religion, du devoir sacré du croyant, du véritable exercice de la foi ? Il ne savait même pas pourquoi il était sur terre. Parce qu'il avait réussi à l'école, il était persuadé de triompher dans la vie. Trimer dans une entreprise ne lui suffisait pas, il devait en plus s'imposer des heures sup' pour joindre les deux bouts, sans se rendre compte qu'il n'était qu'un galérien banalisé. Son monde n'était qu'illusions, ses rêves des pièges mortels, ses ambitions des carottes en carton. Qu'est-ce que réussir une carrière lorsque la mort est au bout du parcours ? Celui qui veut s'en sortir vraiment doit investir dans ce qui dure, et non miser sur l'éphémère. Driss avait choisi l'éternité. J'étais sûr qu'il était comblé, *là-haut*, ange parmi les anges baignant dans la félicité.

6.

La morale n'était pas le rayon de mon père. En apprenant que j'avais redoublé la sixième, il avait fait claquer la langue contre son palais et dit sur un ton qui résonnerait longtemps en moi : « Même avec une selle brodée d'or sur le dos, un âne restera un âne. » Je m'attendais à un sermon dans les règles ou bien à une leçon de vie légendée d'exemples frappants et de noms de personnes parties de rien devenues célèbres et riches grâce à leur dévouement à l'école, enfin à des paroles censées m'éveiller à mes responsabilités ; je n'eus droit qu'à un mépris cinglant. Ni gifle, ni menace, ni punition. Juste une métaphore expéditive dont le dédain me vouait sans appel à la perdition.

Driss avait redoublé, lui aussi. Sa mère en avait pleuré. C'était une femme blessée qui s'amenuisait dans sa convalescence. Je ne l'avais jamais entendue hausser le ton ou vue lever la main sur son rejeton. Elle subissait les coups du sort avec un stoïcisme saisissant, incapable de dissocier les dérives de son fils de sa faute à elle, persuadée que, si Driss était malheureux, c'était parce qu'elle n'avait pas su garder son père, un Belge de souche qu'elle avait aimé de toutes ses forces et qui n'avait pas hésité à l'abandonner, enceinte de huit mois, pour une amie commune.

— Ça fait quoi quand on redouble ? avais-je demandé à Driss.

— Ça fait mal aux parents.

— Tu crois que mon père souffre à cause de moi ?

— J'en sais rien. J'ai pas de père.

Il avait prononcé la dernière phrase avec chagrin.

Rayan nous avait surpris assis sur le trottoir en train de nous tourner les pouces. Il portait un costume brillant d'apprêt et avait mis du gel dans ses cheveux coupés à la brosse, avec une jolie mèche sur le front. C'était son droit d'être fier et beau. Il méritait toutes les joies de la terre : il passait au collège avec un bulletin scolaire orné d'observations enthousiastes. Premier de sa classe. Des félicitations à la pelle.

Pour le récompenser, sa mère lui avait acheté un ordinateur.

— J'ai assez de sous pour nous payer des places de cinéma à tous les trois, nous avait-il proposé.

— Et on ira rejoindre la bande à Moka après le film ? avais-je demandé, car d'habitude Rayan n'était pas autorisé à se hasarder du côté du parc des Muses.

— Pourquoi pas ? avait-il pépié. L'école est finie, non ?

Un rayon de soleil me réveilla. J'avais mal à la nuque à cause de l'accoudoir contre lequel reposait ma tête. La lumière du jour inondait le salon. Il devait être aux alentours de midi. Rayan était parti au boulot. Je pris une douche, me servis du café et, attablé dans la cuisine, je pensai à ce que je devais faire de ma journée. Essayer de joindre Lyès était trop risqué. Dans la situation qui prévalait au pays, le silence radio était de rigueur. Le gymnase où se rencontraient régulièrement les membres de l'association caritative Solidarité fraternelle devait être surveillé de près par la police.

Je m'aperçus que je n'avais toujours pas repris la prière depuis mon voyage à Saint-Denis. Ce n'était pas grave. Aux yeux du Seigneur, j'étais un martyr. Si ma mission avait échoué, elle ne compromettait aucunement mes valeureuses intentions.

En portant la tasse de café à la bouche, je levai la tête sur la photo de Rayan accrochée au mur, dans un cadre argenté. Rayan souriait à l'objectif, les yeux lumineux.

Tu veux trinquer avec tes patrons, épouser une mécréante, vivre sans Dieu et sans retenue ? C'est ton choix. Nous avons fait le nôtre, Driss et moi... Tu as toujours été bichonné, toiletté, torché par ta maman. Driss n'a rien eu de tout ça. Et moi non plus... Est-ce qu'il t'est déjà arrivé d'être tellement hors de toi-même que tu te voyais ailleurs pour de vrai ? D'être à une fenêtre, et de regarder la rue où il n'y a personne d'autre que toi assis sur le trottoir d'en face ? Moi, si. Toutes les nuits, lorsque la famille dormait. Je me tenais tel un épouvantail contre la vitre et j'observais le gars assis sur le trottoir d'en face. C'était un foutu spectacle, Rayan. Un sacré putain de foutu spectacle de merde. Je n'avais même pas de compassion pour le gars assis sur le trottoir. Je le méprisais. C'est terrible de se mépriser, tu sais ? J'attendais que le gars s'en aille, qu'il disparaisse de ma vue. Il ne s'en allait pas. Il préférait rester là, sous la pluie, à me narguer. À la fin, c'était moi qui battais en retraite. Je retournais dans mon lit pour tâcher de dormir. Mais comment fermer l'œil lorsque, en fixant le plafond, c'était encore moi que je voyais suspendu dans le vide ? J'étais la lie de l'humanité, Rayan, un putain de zonard sans devenir qui ne savait où donner de la tête et qui attendait que le jour se lève pour courir se refaire dans une mosquée. Et la mosquée, plus qu'un refuge, m'a recyclé comme on recycle un déchet. Elle a donné une visibilité et une contenance aux intouchables *que nous étions, Driss et moi, nous a sortis du caniveau pour nous exposer en produits de luxe sur la devanture des plus beaux édifices. C'est ça, la vérité, Rayan. La mosquée nous a restitué le* RESPECT *qu'on nous devait, le respect qu'on nous avait confisqué, et elle nous a éveillés à nos splendeurs cachées... Non, Rayan, mille fois non, tu n'as pas à juger Driss. Tu ne lui arrives pas à la cheville. Personne ne lui arrive à la cheville.*

J'avais quitté l'appartement de Rayan en me promettant de ne plus y remettre les pieds. Rayan n'était plus mon ami. Je n'aurais, pour lui, qu'une froide aversion et ne lui pardonnerais jamais d'avoir réduit le sacrifice de Driss à un acte barbare.

Perdu dans mes pensées, je ne voyais ni les rues ni les gens.

J'étais un mort vivant errant dans le brouillard.

Était-ce l'absence de Driss ou le fait d'être livré à moi-même qui effaçait le monde autour de moi ? J'étais si seul et si malheureux. J'avais besoin de quelqu'un à qui parler pour me prouver que les murs qui m'escortaient étaient de pierres et de briques, que le bruit alentour n'avait rien à voir avec le roulis diffus dans ma tête.

Je me sentais aussi vide qu'un sachet gonflé de vent.

Je ne marchais pas, je flottais.

J'avais pensé appeler Zahra pour qu'elle me rejoigne, mais je craignais qu'elle soit surveillée. Ma sœur jumelle était tout ce qui me restait sur terre. Je l'adorais et elle me le rendait bien. Nous étions fusionnels au point qu'elle détectait le moindre de mes soucis. Le reste de ma famille ne comptait pas beaucoup dans ma vie. Ma mère était trop misérable pour représenter quelque chose pour moi. J'avais plus de pitié que de tendresse pour elle. Quant à mon père, il n'était plus qu'un étranger. Je n'aimais rien en lui. Il incarnait tout ce qui m'insupportait.

Je me surpris devant la boulangerie d'Issa, un membre influent de l'association. Il était en train de servir une vieille dame. En m'apercevant à travers sa vitrine, il me pria du menton de passer mon chemin.

Quel chemin ?

Tout, dans cette ville où j'avais grandi sans mûrir, me tournait le dos.

Le soir me tomba dessus comme un oiseau de proie. Je n'avais rien mangé de la journée. Je pris place dans un kebab et commandai un sandwich et un soda. Un groupe de jeunes Maghrébins parlaient des attentats de Paris et de la psychose qui s'était emparée de Bruxelles, déplorant le contrôle au faciès et l'excès de zèle des flics. Un grand gaillard en jogging monopolisait la parole :

— Résultat, c'est nous qui l'avons dans l'os, conclut-il. Je suis bac plus, moi, et je chôme ferme. Parce que je n'ai pas la gueule de l'emploi. Tout le monde se méfie de nous à cause de ces fous furieux. On est obligés d'afficher profil bas et de raser les murs…

— Je marche la tête haute, riposta son voisin de droite. Je ne vois pas pourquoi je devrais m'écraser parce qu'une bande de dégénérés fout le bordel.

— Ils nous portent la *hchouma*, lui rappela le grand gaillard.

— Nous n'avons pas à culpabiliser à cause de ces fêlés.

— Ils se réclament de l'islam.

— C'est c'que les médias veulent faire croire, dit un freluquet en essuyant ses lunettes de myope dans un pan de sa chemise. L'islamisme n'est pas l'islam, c'est une idéologie, pas une religion.

— Farid a raison, déplora un chauve qui n'arrêtait pas de se gratter le fond de l'oreille avec une allumette. Ces cinglés mènent une guerre sainte contre les non-musulmans. C'est normal que nous soyons montrés du doigt.

— Ce n'est pas normal, s'insurgea le voisin de droite. Arrêtez avec vos raccourcis. Personnellement, j'en ai rien à branler de ces zombies. Si ça ne tenait qu'à moi, je crèverais les yeux au premier barbu que je croise sur mon chemin.

— Eh, lui lança un client du fond de la salle, je porte une barbe et je ne fais pas la prière.

— Dans ce cas, rase-la.

— J'peux pas. J'ai plein d'acné sur la figure.

Un petit homme efflanqué, qui jusque-là n'avait rien dit, réclama un peu d'attention en tapant du doigt sur sa table :

— Élevez le niveau, cousins, dit-il doctement. Ce qui se passe est l'aboutissement logique d'un processus aussi vieux que l'instinct grégaire : l'exclusion exacerbe les susceptibilités, les susceptibilités provoquent la frustration, la frustration engendre la haine et la haine conduit à la violence. C'est mathématique.

— La violence contre qui ? s'emporta le grand gaillard en jogging. Contre vous et moi ? Pourquoi ? Pour un monde meilleur ? Ces désaxés l'ont rendu pire qu'avant. Y a pas trente-six solutions. Ceux qui ne sont pas contents n'ont qu'à retourner dans leur bled. Il y a plus de mosquées que d'écoles, là-bas. Ils pourront prier jusqu'à tomber raides morts.

— Nous y revoilà ! répliqua le plus vieux d'entre eux, un trentenaire au teint bistre et aux doigts jaunis par la nicotine. Pourquoi veux-tu qu'ils retournent dans un pays qui ne représente pas grand-chose à leurs yeux ? Ils sont belges. Ils sont nés ici, ont été au collège ici, ont grandi ici. Leur bled, c'est ici. C'est précisément ce genre de réflexion qui leur fait détester leur pays d'adoption. Comment veut-on qu'ils s'intègrent si chaque fois qu'un bougnoule déconne, on menace de renvoyer sa communauté dans son bled d'origine ? Les Belges de souche, ils ne font pas de conneries, eux ? Il faut en finir une fois pour toutes avec le discours de l'extrême droite. Un pays ne se construit pas sur l'identité, mais sur la citoyenneté.

— Ils n'ont jamais voulu s'intégrer, persista le grand gaillard en jogging. On est fils d'émigrés, nous. Il nous arrive d'entendre des propos blessants. Y a qu'à voir ces néonazis qui se la pètent sur les plateaux de télé, qui se permettent de parader sur la place publique en jurant de nous botter le cul. Est-ce que ça a fait de nous des terroristes ? On n'est même pas de bons musulmans. On essaye de gagner notre croûte et on fait comme si on n'avait rien entendu. Ce n'est pas à cause d'une poignée de racistes enragés qu'on va mettre tous les Belges dans le même sac.

— Ça les dérange pas, eux, de mettre tous les musulmans dans le même sac, objecta le voisin de droite.

— J'suis d'accord avec Lounis. Les terroristes et les racistes sont des frères siamois. Si les premiers sont entrés en action, les seconds n'attendent que l'heure de passer à l'acte. Et pourtant, nous faisons la part des choses, nous. Nous ne logeons pas tous les Occidentaux à la même enseigne.

— Moi, reprit le grand gaillard, je suis pour que l'on entasse ces tarés dans la soute d'un cargo et qu'on les largue par-dessus leurs douars. C'est la seule façon de retrouver la paix. Tout individu flanqué d'une barbe se doit d'être livré à la fourrière et expédié au chenil natal sur-le-champ.

— Je te dis que je porte une barbe à cause de mes boutons sur la figure.

— Rien à foutre. Ou tu la rases ou tu dégages.

Je me tournai vers le grand gaillard, en me retenant de lui sauter à la gorge :

— Pourquoi tu ne donnes pas l'exemple ? lui lançai-je. Retourne le premier dans ton bled de merde.

— Je suis belge, moi. Et je ne fais chier personne.

— Tu ne seras jamais un Belge à part entière, mon gars. Jamais. La preuve, tu es dans une gargote communautaire à bouffer des sandwiches douteux et à déblatérer avec d'autres faux Belges en cassant du sucre sur le dos des tiens. Au lieu de jouer au kapo bénévole, jette un coup d'œil autour de toi et dis-moi si tu vois une tête blonde dans ce trou à rats. Et si tu as un minimum de présence d'esprit, lève un peu plus les yeux et explique-moi à quoi riment ces pseudo-zones à risque où ta communauté est parquée comme du bétail contaminé. Lève encore la tête au-dessus de ton ghetto et regarde ce qu'on est en train de faire de l'Irak, de la Syrie, du Yémen, de la Libye. Regarde comment on traite les musulmans en Chine, en Birmanie, en Tchétchénie, jusque dans nos cimetières.

— C'est ce que je fais du matin au soir et je ne vois qu'atrocités, vandalisme, carnages et terreur exercés au nom de Dieu. Je vois les prophètes se griffer au visage en signe de contrition et le Diable faire dans son froc chaque fois que ces coupeurs de têtes dégainent leurs sabres.

— Ils ensanglantent leurs mosquées, prennent en otages leurs cités et dynamitent leurs propres sites archéologiques, renchérit le trentenaire au teint bistre.

— D'après toi, qui massacre les Irakiens, qui dépeuple la Syrie ? poursuivit le grand gaillard. Qui extermine les minorités en terre d'islam et livre des milliers de familles déboussolées aux périls de l'exode ? Qui décapite les enfants sur la place, qui exécute des innocents pour assujettir les autres, qui pille et rackette de pauvres bougres après les avoir séduits avec des prêches mensongers ? Vas-y, réponds, éclaire ma lanterne. Dis-moi qui viole les mères sous les yeux de leurs filles, les belles-mères en même temps que leurs brus, les veuves devant leurs orphelins au nom d'Allah le clément et miséricordieux ?

Je repoussai mon assiette en carton et me levai.

Avant de quitter le kebab, je lançai au grand gaillard :

— Ce qui se passe dans les pays musulmans est un mal nécessaire. On ne peut pas redresser le monde sans le débarrasser de ceux qui courbent l'échine.

Ce ne fut qu'en regagnant la rue que je mesurai combien j'avais été imprudent de révéler sans ambages mon opinion à des inconnus. Mais c'était plus fort que moi.

J'étais en train de me demander où j'allais passer la nuit lorsque Ramdane, un maçon qui gérait à ses heures perdues la cantine de l'association, surgit derrière moi. Il me dit à voix basse, en feignant de parler au téléphone :

— Suis-moi de loin, sans te presser.

Je le suivis jusque dans un petit atelier désaffecté où deux individus nous attendaient, l'un assis à califourchon sur un caisson, l'autre en retrait dans un coin, les bras croisés sur la poitrine à la manière des bourreaux. Ramdane ne jugea pas nécessaire de me les présenter.

— Vire-les-moi, le sommai-je.

— Ils sont fiables.

— Je ne les connais pas, donc ils n'ont rien à faire ici. Il y a des règles, Ramdane.

J'attendis que les deux énergumènes sortent dans la rue pour revenir à la charge :

— Tu croyais me faire peur avec tes deux pitbulls ? Je te rappelle que je n'ai pas été à Paris pour prendre des selfies au pied de la tour Eiffel. Normalement, je suis mort. Je suis peut-être mort pour de vrai. Qui sait ? Je ne suis qu'un revenant.

— Pourquoi tu t'énerves comme ça, mon frère ? Tu as exigé que je chasse mes compagnons, je les ai chassés. Tu lèves le pied, maintenant.

— Pas avant de rencontrer le cheikh ou Lyès.

— Sur quelle planète tu es, mon frère ? Le pays est sens dessus dessous. Personne n'est disponible pour personne. Chacun doit se tenir à carreau en attendant que les choses se tassent.

— En ce qui me concerne, il y a urgence. Il est impératif, pour moi, de m'entretenir avec un haut responsable. Il faut qu'on sache que ce n'est pas ma faute si je n'ai pas accompli ma mission à Paris. Je ne me suis pas rétracté à la dernière minute.

— Lyès le sait.

Je crus recevoir un coup de massue sur la tête.

— Lyès le sait ?

— Le cheikh et l'imam Sadek aussi… Tu n'as rien à te reprocher, de ce côté, Khalil. Personne ne doute de ta bravoure.

Je n'en revenais pas. Je dus me prendre la tête à deux mains pour m'assurer que j'avais bien entendu.

Ramdane fronça les sourcils, étonné de ne pas me voir sauter au plafond.

— Ben quoi ? Te voilà rassuré, non ?

— Rassuré ? Tu crois que c'est aussi facile que ça ? J'étais dans le cirage, figure-toi. J'ai pas arrêté de broyer du noir. Je ne dormais que d'un œil, et pas toujours du bon. Je faisais dans mon froc chaque fois qu'un chauffard donnait un coup de frein brusque dans la rue. Et toi, tu me balances ça à la figure comme s'il s'agissait d'un simple petit malentendu. Et puis, qu'est-ce qu'ils savent au juste, Lyès et consorts ? Parce que moi, je n'en ai pas la moindre idée.

Il essaya de poser la main sur mon épaule.

— Ne me touche pas, s'il te plaît. Contente-toi de m'expliquer ce qui se passe. J'ai l'impression d'être le dernier à savoir ce qu'il m'est arrivé, comme un cocu.

Ramdane me dévisagea un instant avant de se racler la gorge. Il renifla, se tourna à droite et à gauche, s'essuya le coin de la bouche avec son pouce de charpentier…

— Tu me caches un truc ? Vas-y, accouche.

Il dodelina du menton avant de lâcher, d'une voix détimbrée :

— On t'a refilé le mauvais gilet.

— Sans blague. On m'expédie au front avec de la munition défectueuse.

— C'est des choses qui arrivent. Dans la précipitation, on a confondu les ceintures et on t'a livré la mauvaise. Le cheikh et Lyès m'ont chargé de te présenter leurs excuses. Ils auraient aimé te le dire de vive voix, mais il y a des priorités. La France et la Belgique sont aux trousses d'un *frère* qui, lui, n'a pas d'excuses. Cette lopette s'est dégonflée comme une baudruche en abandonnant sur le lieu des attentats sa ceinture et son téléphone portable. Il n'aurait pas fait mieux pour mettre les services ennemis sur sa piste. Problème, personne ne sait où ce con se planque, raison pour laquelle il y a des descentes de police et des contrôles au faciès partout. Tous les secteurs sont bouclés.

Je sentis mes genoux se compacter sous mon poids. J'eus envie de cogner sur le mur jusqu'à m'éclater le poignet.

Ramdane se mit à se triturer le bout du nez. Il ne savait plus par quel bout me prendre.

— Relax, Khalil. On assure.

— Qu'est-ce qu'on attend de moi ?

— Rien, pour le moment.

— J'en ai marre de tourner en rond.

— Tu n'as qu'à prendre ton mal en patience. Sache seulement que tu n'es pas seul. Lyès te prie de faire comme si de rien n'était.

— C'est-à-dire ?

— Tu te conduis normalement. Bien sûr, tu évites l'association. Tu restes dans ton coin et tu fais le moins de bruit possible. Tu peux rentrer chez toi sans problème, si tu veux. Si la police vient te chercher, tu n'opposes pas de résistance.

— Est-ce que j'ai été dénoncé ?

— Par qui ? Par l'émir, le cheikh, l'imam ? Par moi ? Personne d'autre que nous cinq ne sait que tu as été en France.

— Alors, pourquoi veux-tu que la police vienne me chercher ?

— Tous ceux qui connaissaient de près ou de loin nos *chouhadas* tombés à Paris sont convoqués chez les flics : les parents, les voisins, les copains, l'épicier du coin, les anciens instituteurs, le facteur. C'est la procédure. Je m'attends à être convoqué, moi aussi. Beaucoup des nôtres ont été entendus et relâchés. Pas un n'a été mis en garde à vue. Les services font leur boulot, c'est tout. Si on vient te chercher, tu coopères comme le ferait n'importe quel bon citoyen… Vous avez été comme cul et chemise, Driss et toi. Normal que les flics s'intéressent à toi. Tu diras qu'effectivement Driss était ton ami, que vous vous connaissiez depuis que vous étiez gosses et que tu ignorais tout de ses projets.

— Ils ne me croiraient pas.

— Tu t'en fiches. Ils n'ont pas de preuves contre toi. Et tu as un alibi en béton. La nuit du 13 au 14 novembre, tu l'as passée dans le lit de Fattoma, la cuisinière de l'association.

— Pourquoi salir la réputation de cette brave femme ? Et la mienne, avec ? Ils vont penser quoi, les gens du quartier ?

— Personne n'ira le crier sur les toits.

— Je refuse. Il faut trouver autre chose. J'ai beaucoup de respect pour Fattoma. Elle ne mérite pas d'être traînée dans la boue. Tu as pensé à ses enfants ?

— Ils sont trop petits. Et puis, c'est juste pour que tu aies un alibi. Fattoma est d'accord.

— Vous l'avez forcée. Aucune femme pieuse n'accepterait…

— Tu es sourd ou quoi ? C'est juste une couverture au cas où.

Je réfléchis, puis fis non de la tête :

— Ça ne me convient pas.

— Ce sont les ordres. Et les ordres sont faits pour être exécutés à la lettre. Ce n'est pas moi qui fixe les règles, Khalil. Ça vient d'en haut. Après tout, ce n'est qu'une précaution d'usage. Il se pourrait que personne ne vienne te chercher.

— Le mieux serait que je quitte le pays.

— Surtout pas ça. Tu te trahirais d'office.

— Il faut que je me mette au vert pendant quelque temps.

— Et s'ils te chopaient à l'aéroport, tu leur dirais quoi ? Que tu pars en vacances ? Même si tu parvenais à prendre l'avion, ils te cueilleraient à l'atterrissage. Ils te retrouveraient dans n'importe quel trouduc… Tu restes à Bruxelles et tu te conduis le plus normalement du monde. Si tu es convoqué au commissariat, tu réponds présent.

— Comment veux-tu que je reste à Bruxelles ? Je suis à la rue.

— Tu loges bien chez Rayan, non ?

— Vous m'espionnez, maintenant ?

— Nous veillons sur toi.

— Ouais, c'est ça. Pour ce qui est de veiller, je crains d'être le seul à ne pas fermer l'œil. Le comble, c'est que je ne sais même pas où je vais dormir, ce soir.

— Retourne chez Rayan.

— Je me suis fâché avec lui.

— Il ne fallait pas.

Il me remit une enveloppe :

— C'est l'émir qui te l'envoie. De quoi tenir une semaine ou deux, le temps que l'éclaircie revienne. Trouve-toi une planque, en attendant. Sinon, tu restes dans cet atelier.

— Pourquoi pas à l'hôtel ? J'ai besoin de prendre une douche, de disposer d'un minimum de confort.

— S'il y a bien un endroit qu'il faut absolument éviter, c'est l'hôtel. Les services les surveillent tous.

Il me laissa planté au beau milieu de la salle et se dépêcha de rejoindre ses deux gros bras dans la rue.

Je passai trois nuits d'affilée dans l'atelier, recroquevillé sur des cartons. À croiser le fer avec mes doutes et mes soupçons qui me tenaient en haleine jusqu'à l'aurore. Je visionnai sous un tas d'angles mon entretien avec Ramdane, sans lui trouver un côté rassurant. Il y avait trop de zones d'ombre. Cette histoire de « mauvais gilet » ne tenait pas la route. Une pareille mégarde, à un moment aussi crucial, ne pouvait se produire. C'était impossible. L'enjeu était capital, et les conséquences considérables. J'avais l'intime conviction qu'on m'avait filé la *bonne* ceinture, flanquée d'un téléphone qui n'avait qu'une seule raison d'être là : me fumer à distance. Comme on aurait probablement fumé Driss et les deux autres *frères*. Comment expliquer qu'il n'y ait eu qu'un mort et de rares blessés alors qu'ils comptaient faire un carnage ? Si l'accès au Stade de France avait été sévèrement gardé, les *frères* auraient pu attendre la fin du match pour surprendre les supporters à la sortie. Se faire exploser dans le vide n'avait pas de sens. Ça ne me rentrait pas dans le crâne. Je connaissais suffisamment Driss pour l'enterrer sans sépulture. Il n'était pas le genre à précipiter les choses ou à bâcler un travail. Il aurait attendu la fin du match, lui. N'avait-il pas promis de tuer plus de monde que moi ?... Plus j'essayais d'avaler la pilule, plus ses effets secondaires me lessivaient. Je n'avais pas confiance. Surtout pas en Ramdane. Comment accorder du crédit à un homme qui force une irréprochable mère de famille, veuve de surcroît, à jouer la prostituée occasionnelle ? Aucun alibi en béton n'autoriserait pareil affront. Ni pour la bonne cause ni pour personne. L'intégrité d'une mère de famille ne se négocie pas. Ramdane n'était qu'un lèche-bottes, une raclure, un faux jeton. On lui aurait craché dans la bouche qu'il s'en serait délecté. Il me dégoûtait. Tout me dégoûtait.

Le quatrième soir, tandis que je traînais dans la rue, une voiture s'arrêta à ma hauteur. Une portière s'ouvrit devant moi.

— Allez, monte, me dit Rayan.

Je n'avais pas le choix. Il y avait trop de rats dans l'atelier, et les cartons n'étaient pas assez épais pour me protéger du froid et de la morsure du sol.

Zahra était catégorique : je n'avais reçu ni « lettre recommandée » ni visite, et « l'ami qui devait récupérer mes affaires » n'avait pas donné signe de vie.

Je passais mes journées calfeutré chez Rayan, à traquer les nouvelles sur les chaînes d'info. Les journaux télévisés ne parlaient que de la cavale du *frère* qui s'était débiné à Paris en abandonnant sur le lieu des opérations son téléphone portable grâce auquel les services ennemis étaient en train de démanteler tout un réseau. Je ne connaissais pas le fugitif. Je ne me souvenais pas de l'avoir croisé quelque part. Il ne faisait pas partie de notre groupe.

Lorsque j'étais fatigué de m'esquinter les yeux sur l'écran plasma, je dormais. Je n'avais toujours pas repris la prière. Quelque chose me disait que je pouvais m'en passer. Normalement, j'étais mort pour la gloire de Dieu. Si je n'étais pas encore au paradis, je n'avais plus rien à prouver ici-bas, non plus. Bien qu'inabouti, mon sacrifice m'exemptait de certaines tâches qu'un croyant se devait d'accomplir.

Vers 17 heures, juste avant le retour de Rayan, je me rendais dans un café jusqu'à la tombée de la nuit pour rentrer à mon tour. Je faisais croire à mon hôte que j'étais en train de frapper à toutes les portes pour décrocher un boulot. Ma présence sous son toit chamboulait ses habitudes. Il m'était arrivé à plusieurs reprises de le surprendre, téléphone contre l'oreille, en train de s'excuser auprès de sa fiancée de ne pouvoir la recevoir chez lui. Le sourire qu'il me décochait trahissait ouvertement l'embarras dans lequel je le mettais. Ce fut sans doute pour recouvrer son intimité qu'il parvint à convaincre un de ses clients, un Turc qui vendait des meubles rue Heyvaert, de m'embaucher.

Le Turc était un quinquagénaire sourcilleux, presque obèse, avec un visage massif criblé de taches de son et un ventre énorme et flasque qui frémissait comme un ballot de gélatine. Il avait commencé par se plaindre des affaires qui ne marchaient pas bien, des factures impayées qui encombraient sa boîte aux lettres. Tout juste s'il ne s'était pas mis à chialer. Pendant que Rayan insistait en se portant garant de moi, le Turc se grattait derrière le crâne d'un air fourbe. Après m'avoir jaugé en catimini, il me demanda si j'avais un permis de conduire.

— Bien sûr.

— Tu as déjà manœuvré des camions ?

— Ça dépend lesquels. Des fourgons, oui, des semi-remorques, non.

Il s'était remis à se gratter derrière le crâne, puis il avait fait mine de consulter un registre sur son bureau :

— Vraiment, Rayan, tu me mets le couteau sous la gorge. Parce que je ne peux rien te refuser, voilà ce que je propose à ton ami : trente euros pour chaque livraison, montage compris. Bien sûr, il travaillera au noir, et seulement quand j'aurai besoin de lui.

— Tu n'as pas été cambriolé deux fois, Souleymane ? lui avait rappelé Rayan.

— Cambriolé, faut pas exagérer. On a forcé une serrure et bousillé deux ou trois tiroirs, mais on m'a rien volé. Et puis qu'y a-t-il à voler chez moi ? Mes meubles sont bas de gamme et mon coffre est vide. D'après la police, il s'agirait de repris de justice qui cherchaient une planque pour la nuit.

— Dans ce cas, pourquoi m'avoir sollicité pour t'installer des caméras de surveillance ?

— Pour dissuader les éventuels clandestins. Je ne tiens pas à c'que ma boutique serve de gîte à des voyous. Surtout pas de nos jours, avec ces terroristes qui cavalent à droite et à gauche.

— Raison de plus pour engager un gardien de nuit. Khalil accepterait volontiers le poste si tu te montrais un peu plus généreux.

— Je n'ai pas besoin de gardien. Mon dispositif d'alarme fonctionne très bien.

— Un système d'alarme, ça se neutralise.

— Tu m'avais assuré du contraire.

— Aucun système de sécurité n'est fiable à cent pour cent, Souleymane, et tu le sais. Les hackers nous le prouvent. Un gardien est plus dissuasif.

Le boutiquier s'était tordu les lèvres d'un air sceptique.

— S'il te plaît, avait insisté Rayan. C'est la première fois que je te demande un service. Prends-le le temps qu'il trouve un emploi stable. Khalil est le seul, dans sa famille, à galérer pour subvenir aux besoins des siens. Il a cinq bouches à nourrir et un père grabataire.

Le hasard – plutôt un signe du Ciel – avait voulu que le téléphone sonne à cet instant précis.

En raccrochant, le patron avait les yeux qui resplendissaient.

— Ton protégé est béni, avait-il dit à Rayan. C'est la première fois, depuis le début de l'année, que l'on me commande d'une traite dix bureaux, dix armoires, quarante chaises et huit tables basses.

Je fus engagé aussitôt. En qualité de livreur et de gardien de nuit.

Rayan était heureux pour moi et, surtout, soulagé de pouvoir enfin recevoir sa fiancée chez lui. Je ne lui en voulais pas de s'être débarrassé de moi, cependant, bien qu'il m'ait hébergé et aidé à me caser, je n'avais pas réussi à lui pardonner les propos abominables qu'il avait tenus au sujet du sacrifice de Driss.

7.

J'appris par la radio que la mère de Driss était sortie de l'hôpital où l'avaient expédiée le choc occasionné par la mort de son fils et les tracasseries qui allaient avec.

Je décidai de passer la voir.

Après m'être assuré que la voie était libre, je me rendis chez elle, tard dans la nuit.

Elle avait vieilli d'un coup, la divorcée du rez-de-chaussée. En me reconnaissant sur le palier, elle me tomba dans les bras. Je dus l'aider à marcher jusqu'au salon.

— Qu'ont-ils fait de mon enfant ? sanglotait-elle.

— Ton fils est au paradis.

— Et moi, en enfer.

— Ce n'est pas vrai.

— Ce n'est pas toi qui as perdu ton enfant. Tu es trop jeune pour mesurer ma douleur. Driss me manque. C'est vrai, il s'absentait fréquemment, mais il me revenait toujours. Le monde n'est plus pareil sans lui. Je veux mourir, moi aussi.

— Ne dis pas ça.

— Que me reste-t-il sur cette terre ?

— Tu devrais être fière de lui.

— Je suis sa mère. Je n'ai pas besoin d'être fière de lui puisque je l'aime encore, plus que tout au monde. C'est pour lui que j'ai accepté toutes les infortunes.

Elle se moucha dans un pan de sa robe encrassée. Ses bas étaient déchirés. Elle ne sentait pas bon, semblait ne pas s'être douchée depuis des jours, peut-être des semaines.

— Il paraît qu'on t'a renvoyée du supermarché ?

— Qui supporterait de travailler avec la mère d'un terroriste ?

— Driss n'était pas un terroriste. Il s'est battu pour la justice. Tu n'y es pour rien, toi, pourtant ils t'ont virée. C'est parce qu'il y a deux poids et deux mesures dans ce pays que Driss est mort.

— Ce n'est pas la même chose, perdre un travail et perdre son fils.

— Driss est entre les mains du Seigneur, à l'heure qu'il est. Tu dois t'en réjouir. Il ne s'est pas tué, il s'est sacrifié pour débarrasser la terre des ennemis de Dieu.

— Ce sont ceux qui ont menti à mon fils qui sont les ennemis de Dieu. Que celui qui a tourné la tête à mon enfant soit maudit. Il ne passe pas un jour sans que je le maudisse.

Sa souffrance lui faisait dire n'importe quoi.

Je me levai pour prendre congé. Elle me retint par le poignet.

— Tu étais son ami. Pourquoi n'as-tu pas veillé sur lui ?

— Dieu veillait sur lui, *madame.*

C'était la première fois que je l'appelais ainsi.

Je l'avais quittée avec la certitude de ne plus la revoir.

Elle m'avait déçu.

Ma sœur jumelle me rejoignit dans un petit parc, non loin de la cathédrale des Saints-Michel-et-Gudule. Elle arriva avec une quarantaine de minutes de retard, à cause d'une fausse alerte dans le métro. Elle me sauta au cou et me serra fort contre elle comme si nous ne nous étions pas vus depuis des lustres. L'odeur de ses cheveux, son parfum me firent du bien. J'avais l'impression d'être rendu à mon élément. Ma sœur et moi étions faits de la même fibre. Il nous suffisait d'être ensemble pour accéder à une sorte de plénitude.

— Je t'ai apporté les beignets que tu aimes, me dit-elle en me remettant un sachet en papier bariolé de taches d'huile.

Aucune étoile dans le ciel n'égalait le sourire de Zahra. Lorsqu'elle étirait les lèvres sur les côtés, des fossettes ornaient les pétales qui lui tenaient lieu de joues, et elle devenait tout un jardin à elle seule.

— Alors, ce stage à Anvers ? s'enthousiasma-t-elle en s'asseyant sur le banc.

— C'était un stage de perfectionnement.

— Dans quoi ?

— Menuiserie. Je ne sais rien faire d'autre.

— Tu comptes retourner travailler chez ton ancien patron ?

— Il ne me reprendra pas. La dernière fois, il m'avait accusé de fouiner dans ses tiroirs. En réalité, c'était un prétexte pour me faire remplacer par son neveu. Je crois que j'intéresse un atelier. On m'a contacté. J'ai déposé mon CV et j'attends.

— On croise les doigts, pas les bras.

Elle me prit le visage entre ses mains blanches et me regarda tendrement dans les yeux. Parce qu'elle était de quelques minutes mon aînée, elle se croyait obligée de me materner.

— Tu as maigri. Est-ce qu'il t'arrive de manger à ta faim ?

— Bien sûr. Je bricole par-ci par-là. Pas assez pour m'offrir un banquet, mais suffisamment pour me garantir un repas chaud.

— J'ai rêvé de toi, hier. Tu te rappelles la piscine de l'hôtel, à Nador. Eh bien, j'ai rêvé que nous y étions de nouveau, sauf qu'à la place de la piscine, il y avait un carré de pelouse. Tu étais en colère dans ton maillot de bain et tu criais après le gérant.

— Il n'y avait pas de piscine à l'hôtel.

— Il s'agit d'un rêve.

— Je n'aime pas les rêves.

— Attends que je termine le mien.

— Pas la peine. Je ne supporte même pas la réalité.

J'ouvris le sachet et commençai à mordre dans un beignet.

— Je me fais du souci pour toi, Khalil.

— Tu as tort.

— Il faut te réconcilier avec notre père.

— Je n'ai pas envie de retourner à la maison. Ça ne ferait qu'aggraver les choses. Le vieux se remettrait à me chercher, comme d'habitude. Il veut que je l'aide à l'épicerie. Tu me vois vendre des légumes ? Moi, pas. En plus, il ne me payait même pas.

— Il est très malade, tu sais ? Il a le cœur hypertrophié, a diagnostiqué le médecin. Et il n'y a pas que ça. Il a du mal à uriner. La semaine dernière, il a perdu connaissance dans la rue. Maman n'est toujours pas rentrée du Maroc, et j'ai beaucoup de peine à m'occuper seule de la maison, de notre père et du reste.

— Qu'est-ce qu'elle est allée faire au Maroc ?

— Elle a accompagné sa sœur. Anissa a été enterrée dans le cimetière tribal, à côté des patriarches Ba-Chérif et Haj Sidi-Amrane. Puis grand-mère a fait une attaque et maman a été contrainte de rester à son chevet.

Elle fixa le bout de ses chaussures et s'absorba dans un profond silence.

— Est-ce que la police est venue à la maison ? demandai-je soudain.

— Pourquoi veux-tu que la police vienne chez nous ?

— Qu'est-ce que j'en sais ? Il paraît qu'on convoque tout le monde au commissariat.

— Pas nous. Y a pas de raison. Tu en vois une, toi ?

— Driss a grandi chez nous.

— Et alors ? Rayan aussi a grandi chez nous. Et un tas d'autres gamins que maman gardait. Nous, on est des gens simples. On a du mal à joindre les deux bouts et on n'a pas intérêt à nous compliquer l'existence. (Elle redevint triste...) Je pensais à Anissa. C'est pas juste ce qu'il lui est arrivé. Et dire que ce sont ses collègues de bureau qui l'avaient emmenée au Bataclan pour fêter son anniversaire. Quelle ironie du sort.

Le bout du beignet me resta en travers de la gorge.

— Je l'aimais bien, Anissa, poursuivit ma sœur. Nos mères ne s'entendaient pas, mais entre cousines, le courant passait. Quand il nous arrivait de nous croiser au bled, pendant les vacances d'été, elle m'invitait chez le glacier et me payait des sorbets géants. C'était toujours elle qui payait. Même quand j'avais des sous. C'était une fille bien. Si jeune et instruite. Elle ne méritait pas de finir de cette façon. Personne ne mérite de finir de cette façon.

— C'est la volonté de Dieu.

— C'est vrai, admit-elle dans un soupir, c'est la volonté de Dieu.

Le petit parc me parut soudain sinistre. Le vert des arbres s'obscurcit ; une odeur de pisse et de vomi se mit à vicier l'air ambiant.

— Allons marcher un peu, tu veux bien ?

— Il faut que je rentre à la maison. J'ai perdu trop de temps à cause de cette fausse alerte dans le métro.

Elle reprit mon visage entre ses mains, me couva de nouveau de son regard doux comme une caresse.

— Pense à ce que je t'ai dit, Khalil. Essaye de te réconcilier avec notre père. Il en a besoin, tu comprends ? Tu es son fils, son garçon, son unique garçon.

Elle posa ses lèvres sur mon front, lentement, précautionneusement. Elle était si affectueuse, si brave, et belle. Je ne comprendrais jamais pourquoi son mufle de mari l'avait répudiée.

— S'il te plaît, reste encore un moment avec moi.

Elle consulta sa montre.

— Je t'en prie.

Elle serra les lèvres. Comme elle le faisait chaque fois que je lui demandais quelque chose qui l'embarrassait.

— D'accord, fit-elle. Allons marcher un peu.

Nous avions traversé le parc de Bruxelles jusqu'au musée Magritte. Ensuite, nous nous étions séparés devant un Abribus. Elle avait pris le tram ; j'avais continué à pied jusqu'au Manneken-Pis.

Le monde me parut soudain aussi oppressant qu'une camisole.

Zahra me rappela trois jours plus tard. Notre mère était rentrée du bled.

— Elle ne parle que de toi depuis son retour, me dit-elle.

— Pourquoi ?

— Comment ça, pourquoi ? Ça fait des mois qu'elle guette ta silhouette sur le pas de la porte.

— Je ne tiens pas à croiser notre père. Entre lui et moi, c'est fini.

— Il n'est pas tout le temps à la maison… Pourquoi pas demain ? Il a rendez-vous à l'hôpital à 10 heures. Ça lui prendra toute la matinée… S'il te plaît, viens. Si tu voyais la loque qu'est devenue notre mère. Elle me fend le cœur. Fais-le pour Dieu et son prophète. Un bon croyant ne peut rester insensible au chagrin de sa mère.

Je lui promis de voir ce que je pouvais faire.

Le lendemain, à 11 heures, j'étais à la maison. Mon père était parti à l'hôpital, tôt le matin. Ma mère manqua de s'évanouir dans mes bras. Elle m'embrassa sur les joues, sur la tête, sur les épaules, sur le revers des mains. En pleurant et en psalmodiant j'ignore quelles incantations berbères. Zahra n'avait pas exagéré : ma mère n'était qu'un fagot d'os emballé dans des chiffons.

Elle n'avait jamais été belle, ma mère ; la vie minable qu'elle menait l'avait abîmée davantage. Mariée de force à seize ans, elle connut grossesse sur grossesse. D'abord Yezza, ensuite Mariam et Aïcha emportées à deux ans par une foudroyante méningite, puis Rokaya qui s'éteignit à six mois de mort subite. S'ensuivirent trois fausses couches, dont la dernière faillit lui être fatale, puis – mon père voulant coûte que coûte un garçon – Zahra et moi fûmes conçus malgré les réserves du gynécologue. Ma venue au monde n'avait pas suffi à mon père, qui espérait un autre enfant mâle. Ma mère n'en pouvait plus. Elle craignait pour sa santé. Parce que mon père la harcelait, elle se cadenassa dans une sorte de carapace et se livra corps et âme à la sournoise impassibilité de la mélancolie.

C'était sans doute pour ne plus avoir à subir la déveine qu'elle incarnait que j'avais fui le bercail. Mes mésententes avec mon père venaient principalement de là : je lui en voulais à mort de traiter ma mère comme une bête de somme.

— Assieds-toi près de moi, mon fils. Laisse-moi te toucher encore et encore, m'assurer que tu es bien là, avec moi.

— Tu ne rêves pas, maman.

— Mais si, je rêve. Tu es mon rêve, Khalil. Dis-moi ce que tu deviens, où tu t'es exilé, comment tu vis ?

— J'étais en stage à Anvers. J'essaye de me perfectionner en menuiserie pour lancer ma propre affaire.

— Est-ce une raison pour faire comme si je n'existais pas ? Ça ne coûte pas grand-chose, un coup de téléphone. Je m'inquiétais, tu sais ? Tu ne donnais aucun signe, et moi, j'imaginais toutes sortes d'accidents, toutes sortes de soucis.

— Il me donnait de ses nouvelles, voyons, lui rappela Zahra. Il était très occupé, c'est tout. Il est de retour, aujourd'hui. Profites-en.

Zahra avait préparé du thé à la menthe et des beignets. Pendant qu'elle remplissait nos verres, je m'étais attardé sur les murs délavés, les quelques meubles rudimentaires qui se détérioraient çà et là. Les rideaux, aux fenêtres, prenaient la poussière. Je ne me souvenais plus depuis quand ils étaient là. Peut-être depuis toujours.

Un vieux portrait du patriarche, Haj Sidi-Amrane, mort un demi-siècle plus tôt, nous surplombait, accroché à un clou – personne n'avait songé à en remplacer le verre fissuré. Sur une commode rabougrie, un vase noir exhibait un bouquet de fleurs artificielles.

Un malaise insondable gagna mon être telle une brume funeste.

Je n'avais jamais été heureux dans ce taudis.

Ma mère se mit à raconter son séjour au bled : grand-mère, que son AVC condamnait à moisir au lit ; l'enterrement d'Anissa qui avait bouleversé la tribu ; l'oncle paternel qui avait trafiqué des documents pour inscrire les terres ancestrales à son nom, nous dépossédant ainsi de notre part d'héritage ; les deux fils de notre autre tante disparus en mer en cherchant à rejoindre l'Espagne…

— Voyons, maman, l'interrompit Zahra. Il n'y a pas que des malheurs dans le Rif. Les gens continuent de se marier, là-bas, de célébrer des événements heureux, de construire de somptueuses maisons et de gagner aux paris sportifs.

Ma mère l'admit volontiers. Ne trouvant pas une belle histoire à raconter, elle se tut.

J'avais hâte de m'en aller. Les minutes paraissaient des heures.

Je sortis de ma poche une partie de l'argent que m'avait envoyé Lyès.

— C'est pour toi, maman.

— Non, garde-le. Tu en as plus besoin que moi. Je ne manque de rien.

— Prends, s'il te plaît. Achète-toi ce que tu veux. Je sais que mon pingre de père a un piège à loups dans le portefeuille.

— Ne parle pas comme ça de ton père. Il fait ce qu'il peut. C'est difficile de joindre les deux bouts quand on vend des légumes. Tu devrais te réconcilier avec lui. Il n'est pas mauvais, il est malheureux. Tu lui manques, tu sais ? Il aimerait tellement être fier de toi.

Je voulus lui dire que mon père n'était qu'un troglodyte sans cœur, mais je ne tins pas à gâcher notre rencontre. Je lui mis de force les quelques billets de banque dans la main. Elle fit mine de les repousser, par pudeur, avant de les accepter.

Je ne restai pas déjeuner avec ma mère, malgré l'insistance de Zahra.

Je n'avais aucune envie de laisser mon père me prendre dans ses bras.

Avant de partir, j'étais allé dans ma chambre récupérer ma carte d'identité, mon passeport, quelques effets vestimentaires et ma montre achetée au rabais.

8.

Toujours pas de convocation.

Ni de descente de police chez mon père.

Aucun signe de Lyès, non plus.

C'était comme si je n'avais jamais été à Paris. À croire que j'avais fait un rêve et que je m'étais réveillé dans la peau du Khalil d'avant Solidarité fraternelle. J'étais redevenu le lambda d'autrefois qui attendait la nuit pour se coucher et le matin pour se remettre à attendre la nuit. Le Turc m'exploitait à fond. J'étais son factotum. Lorsque je n'avais pas de meubles à livrer ou à monter, il m'envoyait faire des courses pour sa femme. À 19 heures, il baissait le rideau, avec moi à l'intérieur du magasin, fermait à double tour et ne me laissait pas de clefs – de crainte que je me défile dès qu'il aurait le dos tourné. Il avait mis à ma disposition un petit téléviseur portatif qui ne captait pas grand-chose, un thermos pour le café, un réchaud électrique et un lit de camp dans l'arrière-boutique. Je n'en demandais pas plus. J'étais certes un peu à l'étroit, mais je ne me plaignais pas. Afin de négocier mes insomnies dans le calme, je comptais les araignées mortes dans leurs jardins suspendus, écoutais les souris couiner dans l'obscurité et, quand le silence m'angoissait, je récitais des versets à voix haute pour me tenir compagnie. J'avais réussi à faire de l'écho de ma voix un interlocuteur.

Une semaine était passée. Je n'avais pas entrevu un seul *frère*. Pourtant, j'en avais livré, des meubles à Molenbeek – deux ou trois chambres à coucher, un bureau dans la rue où Driss sous-louait un petit studio au-dessus d'une imprimerie, des commodes – pas l'ombre d'un *frère*. Les oiseaux d'Ababil s'étaient volatilisés. On aurait dit que la terre les avait avalés…

Que Dieu me pardonne, j'étais presque content de ne pas les croiser sur mon chemin.

J'étais passé deux fois devant la cantine de l'association sans qu'une fibre frémisse en moi. C'était étrange. Mes compagnons de foi ne me manquaient pas. Si on m'avait dit, un mois plus tôt, que je pourrais me passer de mes *frères*, je ne l'aurais pas cru une seconde. J'avais développé une très forte addiction à leur compagnie ; j'étais une partie intégrante d'eux, indissociable de leur organisme. Cela faisait plus d'une année que je ne fréquentais qu'eux, ayant rompu avec le reste du monde. Fini les bars, les cinémas, les stades de foot et les salles des fêtes. Fini les amis d'enfance qui n'avaient pas rejoint Solidarité fraternelle. Fini les camaraderies de naguère lorsque Belges de souche et Belges d'adoption sortaient ensemble, bras dessus, bras dessous, et partageaient les mêmes bancs dans les squares et les mêmes casse-croûte. En faisant allégeance au cheikh, je me devais de divorcer d'avec ma vie d'avant, de renier ceux qui ne pratiquaient pas la prière, de me méfier de ceux qui ne participaient pas financièrement aux projets de l'association. Et me voici, en moins d'une semaine, livrant des meubles chez les *koffar*. Chose incroyable, j'avais monté une armoire chez un client qui empestait l'alcool et je n'avais pas refusé son pourboire, pourtant dérisoire. J'avais été arrêté deux fois à un barrage. Les policiers m'avaient demandé mes papiers et me les avaient rendus sans problèmes. « Qu'est-ce que vous transportez dans votre fourgon, monsieur ? – Des meubles. – On peut jeter un œil ? – Bien sûr. » Après vérification, ils m'avaient autorisé à poursuivre ma route en me souhaitant bon vent.

C'était surréaliste.

Le soir, étendu sur mon lit, j'essayais de me situer par rapport à ce qu'il m'arrivait. Les jours défilaient, et toujours rien. Mon travail chez le Turc m'obligeait, parfois, à serrer la main à des mécréants, à me retrouver seul avec une dame à moitié dénudée en train de me crier dessus comme si j'étais son larbin. Je me disais que ce n'était pas ma faute, qu'il me fallait un abri le temps que l'éclaircie revienne. J'en voulais à Lyès de m'abandonner à mon sort. Je pensais souvent à cette histoire de « mauvais gilet » et aux déductions auxquelles j'avais abouti, me mettais même, *astaghfirou Llah*, à éprouver un semblant de légitimité à retourner parmi les autres – puisque les miens m'avaient largué – et un certain goût pour la *transgression*.

Mais le Seigneur n'était pas inattentif à mes errements.

Sa colère ne tarda pas à s'abattre sur moi.

C'était l'heure de la pause déjeuner. J'avais acheté un sandwich dans un kebab et je m'apprêtais à mordre dedans quand mon téléphone s'était mis à vibrer. Ma sœur jumelle était au bout du fil.

— Qu'est-ce que tu as fait à Yezza ? me demanda-t-elle.

— Rien. Pourquoi ?

— Elle est dans tous ses états. Elle exige que tu l'appelles tout de suite.

— Il est arrivé quelque chose ?

— Elle a juste dit que si tu n'appelles pas immédiatement, tu auras de gros problèmes.

— Tu as son numéro du portable ?

— Elle n'en a pas. Appelle-la sur le fixe. Elle est chez elle. Rappelle-moi quand tu en auras fini avec elle. Je veux savoir ce qui se passe.

Je sortis dans la rue pour appeler Yezza. Elle décrocha à la première sonnerie. Sa voix manqua de me défoncer le tympan.

— Écoute-moi bien, toi. Il est 13 h 28. Je finis tranquillement mon repas puis je retourne au boulot. Si, en rentrant chez moi, je trouve ta saloperie là où elle est, sur la vie de ma mère, je la porterai moi-même au commissariat et la remettrai en main propre au chef de la police.

— De quoi tu parles ?

— De ton machin pourri que tu as caché dans le débarras.

— Quel machin pourri ?

— Je ne reçois personne chez moi, à part toi.

Elle raccrocha. Avec hargne.

Une sueur froide comme la mort m'inonda. Je dus m'appuyer contre le mur pour ne pas flancher.

Le patron, qui m'observait à travers la vitrine, fronça les sourcils :

— Un souci, Khalil ?

Je mis un certain temps à recouvrer mes sens. La gorge sèche, le souffle éperdu, j'eus du mal à déglutir ; quant à mes jambes, elles menaçaient de céder sous mon poids.

— Tu ne peux pas me prêter ta voiture ? C'est urgent.

— J'ai pas fini de la payer.

— Je t'en supplie. C'est une question de vie ou de mort.

— Désolé, je ne laisse même pas mon fils conduire ma bagnole. Elle m'a coûté la peau des fesses. Tu veux que je t'appelle un taxi ?

Je me pris la tête à deux mains. Il me fallait trouver une solution tout de suite. Yezza ne plaisantait pas.

J'appelai Rayan.

— Je suis au bureau, me dit-il. Je ne peux pas me défiler.

— C'est très grave.

Silence au bout de la ligne.

— Tu es là ?

— Je réfléchis.

— J'ai besoin de toi tout de suite.

— Je vais voir ce que je peux faire.

— Tu n'as qu'une seule chose à faire. Tu sautes dans ta caisse et tu viens me chercher chez mon patron. C'est une question de vie ou de mort.

Rayan me trouva sur le trottoir, à deux doigts de la syncope.

Je sautai dans la voiture et le suppliai de démarrer sans tarder. Ce qu'il dut lire sur mon visage l'alarma.

— C'est quoi, cette histoire de vie ou de mort ?

— S'il te plaît, ne me pose pas de questions. J'ai un brasero dans le crâne. On va à Mons.

Nous quittâmes Bruxelles gorgée d'embouteillages. Chaque carrefour, chaque ralentissement accentuait ma nervosité. Je pestais contre les feux rouges, contre les chauffards, contre les vieux conducteurs qui avançaient sur des œufs. Je ne repris un semblant de souffle que lorsque nous débouchâmes sur la E19.

Je ne me rendais pas compte que je consultais ma montre toutes les deux secondes. Mes doigts s'étaient engourdis à force de tambouriner sur le tableau de bord.

— Tu me stresses, Khalil. Qu'est-ce qui se passe ?

— C'est ma sœur aînée. Elle est en dépression. Elle a menacé de se tuer.

— Purée !

Rayan se mit à doubler les voitures les unes après les autres, les mains soudées au volant. De temps en temps, il me priait de me calmer. Je ne l'entendais pas, les yeux rivés au cadran de ma montre.

Nous atteignîmes Mons en moins d'une heure. Rayan rangea sa voiture au pied de l'immeuble. Je m'engouffrai dans la cage d'escalier, gravis quatre à quatre les marches jusqu'au cinquième étage, trop pressé pour prendre l'ascenseur. Ma sœur n'était pas chez elle. Je me ruai sur le débarras. Ma ceinture d'explosifs n'était pas à l'endroit où je l'avais cachée. Une peur panique s'empara de moi. Je ne voyais plus clair, n'entendais que mon cœur canonner dans ma poitrine. Yezza aurait-elle porté le gilet au commissariat ? *Non, non, non, elle ne me ferait pas ça.* Il était à peine 15 h 30. J'étais dans les temps. Je cherchai dans les chambres, passai deux fois dans la cuisine avant d'apercevoir la ceinture dans l'évier. Un flot d'air pur m'envahit. Je ramassai le gilet, le mis dans un sac en toile trouvé dans un tiroir et redescendis en survolant les marches. Dans la précipitation, j'oubliai de refermer la porte derrière moi.

Rayan fut surpris de me voir sortir si vite de l'immeuble.

Je jetai mon sac dans le coffre de la voiture avant de monter à bord.

— Alors ?

— Elle n'est pas chez elle. La voisine dit qu'elle a été emmenée à l'hôpital, il y a une heure environ.

— Il se trouve où, l'hôpital ?

— Ce n'est pas la peine de nous y rendre. Ma sœur est entre de bonnes mains. Sûr qu'elle est en soins intensifs. Rentrons à Bruxelles. Il faut que je rassure la famille.

— Tu peux la rassurer par téléphone. À mon avis, tu devrais aller voir ta sœur, t'enquérir de sa santé, t'entretenir avec son médecin, je ne sais pas, moi. Tu n'as pas fait tout ce chemin pour rien.

— Je t'assure que ce n'est pas la peine. Je suis soulagé maintenant qu'elle est à l'hôpital. Les médecins ne m'apprendraient rien de plus que ce que je sais déjà. Ce n'est pas la première fois qu'Yezza nous fait un coup pareil.

Rayan écarta les bras et mit le moteur en marche. Il était sidéré par mon attitude.

Il n'avait pas dit un mot depuis qu'on avait quitté Mons. Il conduisait lentement, l'esprit ailleurs. De temps à autre, il secouait la tête d'un air catastrophé, puis il redressait le menton et regardait droit devant lui.

À une quarantaine de kilomètres de Bruxelles, il se tourna enfin vers moi.

— Ça t'ennuierait si je passais voir un client ? Il me doit de l'argent.

— Pas le moins du monde.

Il me remercia et emprunta la première sortie de l'autoroute. Nous contournâmes un village sur la nationale, traversâmes la moitié d'une plaine avant d'arriver à un carrefour. Rayan hésita avant de prendre un chemin communal qui filait, mince ruban bitumé, le long d'une rivière hérissée d'herbes folles. Hormis une ferme au loin, le coin était désert. Pas âme qui vive à des lieues à la ronde.

Rayan se rangea sur le bas-côté.

— Il habite où, ton client ? Je ne vois pas d'habitation dans les parages.

— Je crois que la roue arrière a un problème. Tu n'as pas remarqué que la voiture chassait un peu sur la gauche ?

— Non.

— Ne bouge pas. Je reviens.

Il descendit de voiture.

Je l'entendis ouvrir le coffre.

Au bout d'un moment, ne le voyant pas se manifester, je me retournai pour voir ce qu'il fabriquait. Rayan se tenait debout à l'arrière de la voiture. Je ne distinguais qu'un bout de son épaule.

— C'est grave ?

Il ne répondit pas.

Intrigué, je mis un pied à terre.

Rayan était arc-bouté contre le coffre, abasourdi, le visage pâle. Il leva sur moi des yeux dans lesquels se mêlaient l'horreur, le dégoût et l'incrédulité.

— Fils de pute, lâcha-t-il, le cou parcheminé de veines volumineuses.

C'était la première fois de ma vie que j'entendais Rayan proférer une grossièreté obscène.

— Question de vie ou de mort, hein ?

Mon sac était ouvert à ses pieds, une partie de la ceinture d'explosifs sur l'asphalte.

Curieusement, je ne réagis pas. Peut-être que la frayeur que m'avait infligée ma sœur, quelques heures plus tôt, avait consumé toutes mes émotions.

— Ça me travaillait depuis que tu es sorti de l'immeuble. Ça crevait les yeux que c'était la récupération du sac, et non le sauvetage de ta sœur, qui te faisait courir comme un dératé. Je me demandais ce qu'il pouvait bien contenir. Drogue ? Argent ? Quelques précieux objets volés ? Je m'attendais à tout, mais pas à *ça*.

— Ce n'est pas ce que tu crois, Rayan.

— Ce que je vois me suffit.

— Laisse-moi t'expliquer.

— M'expliquer quoi ?

Il brandit un cric :

— Si tu fais un pas dans ma direction, je réduirai ta gueule en bouillie. Recule, recule…

Je levai les mains à hauteur des épaules en signe d'abdication.

— Pourquoi ? hurla-t-il. Pour le paradis ? Il est autour de toi, en *vrai*. Regarde comme la campagne est belle. Il y a des oiseaux dans les arbres et tu peux courir dans les champs jusqu'à tomber dans les pommes. Si tu n'es pas content, attends le printemps. Mais qu'est-ce que tu as dans le crâne ?

— Je t'assure que tu te trompes, Rayan.

— Il y a cinq minutes, oui, je me trompais encore sur ton compte. Plus maintenant. Tu étais à Paris pour dissuader Driss de faire le con, n'est-ce pas ? Je t'avais cru. Parce que je l'aurais fait, moi aussi, si j'avais été à ta place. Sauf que tu n'étais pas à Paris pour désamorcer un imbécile bourré d'explosifs, mais pour te faire sauter avec lui.

— C'est vrai, sauf que j'ai renoncé. Tu peux me toucher, je suis de chair et de sang. Je suis vivant. Je n'ai tué personne.

— Ça, c'est toi qui le dis.

— Je te jure que c'est la vérité. Je n'ai tué personne.

— Si, tu as tué quelqu'un, Khalil : toi ! Tu t'es tué à l'instant où tu as rejoint ces nébuleuses qui nous enténèbrent.

— Pourquoi refuses-tu de m'écouter ? J'avais le couteau sous la gorge. Je jure que je ne voulais pas aller à Paris. Si je suis devant toi, ce n'est pas parce que je me suis dégonflé, mais parce que j'ai refusé d'assassiner des innocents… Je ne suis pas un meurtrier. Je t'en supplie, ne m'enterre pas trop vite. J'ai besoin de toi. Ne me laisse pas tomber. Ma vie est en danger. *Ils* sont à ma recherche.

Il me considéra avec dédain, dodelina de la tête ; il suffoquait d'écœurement.

— Espèce de monstre, salopard, imbécile. Comment t'es-tu laissé embrigader par ces fumiers ? Je n'arrive pas à le croire. J'hébergeais chez moi un terroriste, un salaud de terroriste qui se prend pour un héros. (Il cracha par terre, se gifla.) Comment ai-je pu être aveugle à ce point ? Je me sens si minable, si dégueulasse.

Il referma sèchement le coffre et remonta dans sa voiture.

— Tu ne vas pas m'abandonner ici.

— Fous le camp, connard.

— Tu comptes me dénoncer ?

— Va te faire mettre.

Il démarra.

Je courus derrière la voiture ; Rayan accéléra et je dus m'arrêter.

Lorsqu'il disparut au bout de la route, je revins sur mes pas, ramassai mon sac et descendis dans le fossé chercher un trou où enterrer la ceinture d'explosifs.

II. Concerto en *do* mineur pour un kamikaze

Et lorsqu'on les exhorte de ne pas semer le chaos sur terre, ils rétorquent qu'ils sont les redresseurs de torts, alors que ce sont eux les fauteurs.

Coran, sourate al-Baqara, II, 11-12

9.

Le ciel commençait à s'assombrir tandis qu'un vent glacial, aussi tranchant qu'un rasoir, me tailladait la figure.

J'avais traversé des champs pour éviter la route, de crainte que ma présence insolite dans les parages n'éveille des soupçons. Je marchais au hasard, la rage au ventre, le crâne grouillant d'hypothèses épouvantables. Me fallait-il rentrer à Bruxelles ou fuir le pays ? Je ne savais où donner de la tête.

Une bourgade apparut au loin.

Je me mis à courir, espérant y trouver un moyen de transport.

La nuit était tombée lorsque l'autocar me déposa à la gare routière Saint-Gilles. Je sautai dans un taxi jusqu'à la rue Heyvaert, pris place à l'angle d'une ruelle adjacente pour surveiller le magasin, à l'affût d'une sirène ou d'un gyrophare. Le Turc s'impatientait sur le pas de sa boutique. Sur les huit appels manqués affichés sur le cadran de mon portable, cinq étaient de lui – les trois autres, de Zahra.

D'habitude, on baissait le rideau à 19 heures, et il était 20 heures passées. Rayan aurait-il alerté la police ? Me tendait-on une embuscade ?…

Les gens vaquaient à leurs occupations. Au-dessus de moi, un homme fumait à son balcon. Il s'excusa de la main lorsque son mégot s'écrasa à mes pieds.

Le Turc sortit son téléphone ; le mien vibra dans ma poche. N'obtenant pas de réponse, le Turc éteignit dans le magasin et regagna sa voiture sur le parking.

Je restai tapi dans mon coin jusqu'à 21 heures. Pas de panier à salade en vue. Pas une patrouille de routine. Une pluie fine commença à moucheter mon veston. Je me rendis compte que j'étais en train de geler.

Je pris le tram jusqu'à la basilique de Koekelberg. Aucune agitation suspecte aux alentours de la rue Herkoliers et de la chaussée de Jette. L'immeuble où habitaient mes parents baignait dans les bruits feutrés du soir. Le vieux Philippe, notre voisin du rez-de-chaussée, promenait son chien ; un groupe d'adolescents bavardait à l'abri d'un kiosque fermé ; deux hommes étaient penchés sur le moteur d'une guimbarde – je percevais le cliquetis de leurs clefs à molette ; la gargote des frères Bardin empestait la bière et les frites à des kilomètres.

Les volets de notre appartement étaient ouverts, mais pas une silhouette familière ne s'imprima sur les rideaux.

Je pris le bus pour me rendre à l'atelier désaffecté. L'endroit n'étant pas desservi, je descendis à l'arrêt le plus proche du refuge. Le froid s'était accentué. Pendant que je remontais la venelle, je tombai par hasard sur Moka. Le sexagénaire était assis au pied d'un réverbère, le pantalon retroussé au-dessus du genou. Une large éraflure lui écorchait le mollet.

— Un cycliste m'a renversé, me dit-il. Non seulement il ne s'est pas donné la peine de s'arrêter, mais en plus il m'a traité de tête de lard. Est-ce que j'ai une tête de cochon, moi ?

Je m'accroupis pour voir de près le mollet meurtri.

— Ça n'a pas l'air bien méchant.

— Peut-être, mais ça fait mal.

— Tu peux marcher ?

Je l'aidai à se lever. Il sautilla sur place, agita sa jambe dans tous les sens.

— Ça va ?

— Je remue les orteils, donc j'ai rien de cassé.

— Tu veux que je te raccompagne chez toi ?

— Je veux bien.

Moka se terrait dans un taudis au pied d'un immeuble gris comme un jour d'hiver. Avant, c'était une boutique où les gens de la cité venaient faire retoucher leurs vêtements. Le tailleur était un vieux monsieur émacié, voûté tel un saule pleureur, avec des poils plein les oreilles. Il portait des lunettes si épaisses que ses yeux s'étageaient sur plusieurs niveaux. C'était un homme étrange, furtif et silencieux. On aurait dit un spectre tant il faisait corps avec la pénombre de son atelier. Je m'étais toujours demandé comment il arrivait à coudre dans l'obscurité. S'il paraissait ne pas manger à sa faim, c'était sans doute parce qu'il faisait crédit aux plus désargentés sans tenir à jour ses ardoises. Je me rendais souvent chez lui, avec Zahra, pour qu'il rafistole les costumes de mon père. Il y avait une bonbonnière à l'entrée dans laquelle je plongeais une main hardie dès que le vieillard avait le dos tourné. Ma sœur me désapprouvait du regard et menaçait de tout rapporter à mon père – chose qu'elle ne faisait jamais ; je haussais les épaules et remplissais mes poches de sucreries acidulées que je courais offrir à Mansourah, une petite peste de dix ans dont j'étais follement amoureux. Puis le vieux tailleur avait commencé à avoir des problèmes avec des garçons louches qui avaient installé leur base dans l'impasse d'à côté. Un soir, il avait remballé son mètre et ses ciseaux et avait disparu.

J'ignore comment Moka avait réussi à squatter le local.

L'intérieur ressemblait à un capharnaüm. Il n'y avait pas un seul objet à sa place. Le frigo était collé au lit ; le four électrique était branché à une prise déglinguée ; des livres et des magazines jonchaient le sol ; un caisson rempli de sachets vides calait la porte ; sur une table boiteuse, des restes de repas attendaient d'être ramassés…

— Ça fait combien de temps que tu n'as pas aéré là-dedans ?

— C'est à cause du froid, dit Moka. J'ai pas le chauffage.

— Tu risques de mourir asphyxié dans ce gourbi.

Il haussa les épaules.

— Bof ! À mon âge, que peut-on attendre de plus de la vie ?… Mets-toi à l'aise. Si tu as faim, il me reste du fromage quelque part.

— C'est moi qui offre le souper, ce soir.

Je sortis nous acheter des sandwiches dans un kebab.

À mon retour, Moka avait emmailloté son mollet dans des bouts de chiffon. Son entaille était superficielle, mais il faisait comme s'il traînait une blessure de guerre.

— Les jeunes d'aujourd'hui n'ont de respect pour personne, dit-il en grimaçant exagérément. Ils te passeraient sur le corps qu'ils ne s'en rendraient pas compte.

Je traversais tranquillement la chaussée et *paf !* je me retrouve les quatre fers en l'air. Il aurait pu utiliser la sonnette. Mais non, il me heurte de plein fouet et s'éloigne comme si de rien n'était. En me traitant de tête de lard. Tu te rends compte, moi, tête de lard ? Eh ben, bravo, le monde d'aujourd'hui.

Je n'étais pas disposé à écouter ses jérémiades.

— Ça t'ennuierait si je passais la nuit chez toi ? Mon père m'a foutu à la porte.

— Ça me ferait vachement plaisir.

— Tu n'es pas obligé, tu sais ?

— Tu es chez toi, Khalil. J'ai atrocement besoin de compagnie. Tu peux rester autant que tu voudras. J'ai un sac de couchage qui n'a jamais servi.

Il défit l'emballage de son sandwich. Avant de mordre dedans, il secoua la tête, le front plissé :

— Les gamins me manquent, avoua-t-il. Depuis qu'à la mosquée on fait courir le bruit que je serais un pervers, aucun môme ne me fréquente.

— J'ai entendu ça.

— Ce qui me chagrine, c'est que personne ne m'a défendu. La plupart des barbus ont été mes gamins. Ils savent que je ne suis pas un pédophile. Ils aimaient mes histoires et en redemandaient…

— Tu as lu tous ces bouquins ? lui demandai-je pour changer de sujet.

— D'après toi, je tenais d'où les aventures que je vous racontais ?

Il tendit le bras vers une boîte, en extirpa des tranches de pain d'épice et me les offrit :

— Ce sont des Mireille Oster. Un régal total. Kacem me les a envoyés de Strasbourg…

Il mordit dans son sandwich avant d'ajouter :

— Kacem, lui, il m'aurait défendu. Il est le seul à penser à moi. Il lui arrive de m'envoyer un peu d'argent… Je suis fier de ce p'tit gars. Est-ce que tu sais qu'il est l'assistant d'un député européen ? Tu te rends compte ? Personne ne donnait cher de sa peau.

— Il n'est qu'appariteur. Sa fonction consiste à aller chercher le café de son maître et à lui tenir son parapluie.

— Pourquoi tu dis ça ?

Je ne répondis pas. En vérité, j'ignorais qui était Kacem.

Je pris place dans un fauteuil crevé, dérangeant un énorme cancrelat qui courut se refugier derrière une vieille radio datant des années 1960.

— Pourquoi ils font circuler ces monstruosités sur moi à la mosquée ? J'aime les mouflets comme mes propres fils. Est-ce un crime d'aimer les enfants ?

— Ce n'est pas un crime.

— Le vrai crime, c'est c'qu'on fait des gamins à la mosquée.

— Tu n'as pas été à la mosquée, Moka. Tu ne peux savoir ce qu'on y fait. Tu vois ? Toi aussi, tu incrimines les gens sans les connaître.

Il esquissa un geste las de la main :

— Tu as raison. On dit n'importe quoi sur n'importe qui, de nos jours. Reconnais qu'avant, c'était la belle époque.

— On était trop petits pour soupçonner les vacheries du monde.

— Je ne suis pas d'accord. On n'entendait pas que des horreurs, avant. On se disait bonjour, on demandait après les nouvelles des uns et des autres. Aujourd'hui, on passe devant un cortège funèbre et on ne s'arrête même pas.

Il prit une bouteille de soda à moitié vide dans le frigo, se tourna vers moi :

— Quand je pense à Driss, j'en suis malade… C'était ton copain. Tu étais au courant de ce qu'il s'apprêtait à commettre ?… Bien sûr que non. Personne n'imaginait qu'il était capable d'une telle horreur.

Il remit la bouteille dans le frigo, sans se verser à boire, le front de plus en plus fripé :

— Je n'arrive pas à comprendre pourquoi il a fait ça.

— Chacun son devoir, Moka.

Il fit non de la tête :

— Le devoir, Khalil, est de vivre et de laisser vivre. Il n'y a pas plus précieux que la vie et nul n'a le droit d'y toucher.

— Tu te souviens d'Amadou, le petit Noir de la rue de la Flûte-Enchantée ?

— Bien sûr. On ne le voit plus, ces derniers temps. Tu as de ses nouvelles ?

— Il est mort dans un accident, au volant d'une voiture volée, alors qu'il avait les flics aux trousses… Je me demande ce qu'il serait devenu, si on ne lui avait pas brisé le cœur. Sans doute un footballeur d'exception que les grands clubs s'arracheraient à coups de millions. Mais il a fallu qu'on l'extirpe de la carcasse du tacot à l'aide d'un chalumeau. Et tu sais pourquoi ? À cause d'un mot… un misérable mot. Nous étions allés jouer au foot. Nous avions combien, douze, treize ans ? Un gros gardien raciste, avec une gueule de dogue empiffré, nous a interdit l'accès aux vestiaires. Il nous soupçonnait de fouiller dans le sac des autres joueurs. Comme Amadou protestait, parce qu'il était titulaire dans son équipe, le gardien l'a écrasé contre le mur et lui a dit : « Retourne dans ta brousse, Chikungunya de mes deux. » Le dribbleur hors pair Amadou, qui rêvait de porter le maillot des Diables rouges, n'a plus jamais été le même, après.

Moka fit la moue, peu convaincu :

— C'est moyen, ton réquisitoire… Finir dans un accident et finir dans un attentat, c'est différent.

— Il ne s'agit pas de comment ça finit, mais de comment ça commence. Il suffit de bien peu de chose pour que l'on dégringole dans l'estime de soi. Et alors, bonjour les dégâts. Tout part en vrille. Ça paraît dérisoire, pourtant ça te fout l'existence entière en l'air. Il n'y a pas plus fragile qu'un apatride, Moka.

— Amadou est né à Molenbeek, que je sache.

— Le renvoi constant à la couleur de sa peau ne lui donnait pas le sentiment d'être un Belge comme les autres. Driss non plus. Et moi de même ainsi que toutes ces populaces venues d'ailleurs qu'on parque dans les zones de non-droit et qu'on montre du doigt chaque fois qu'elles s'aventurent en dehors de leur zoo… Les gens ne font pas attention aux catastrophes qu'ils provoquent avec des mots déplacés. Les vrais criminels, ce ne sont pas ceux qui se font sauter au milieu de la foule, mais ceux qui ont rendu la boucherie possible. Alors, s'il te plaît, ne juge pas Driss trop vite.

— On ne tue pas des innocents parce qu'un enfoiré de raciste a dit des conneries.

— Est-ce ta façon de me chasser de chez toi, Moka ?

— Pas du tout.

— Alors, changeons de disque. Le tien est rayé.

Le lendemain, ma sœur jumelle m'appela pour m'annoncer que la mère de Rayan était passée lui remettre les affaires que j'avais laissées chez son fils.

— Où veux-tu que je te les apporte ?

— Je suis à Anvers pour deux ou trois jours. Dépose-les chez Issa le boulanger… Elle était comment, la mère de Rayan ? Est-ce qu'elle est entrée voir la nôtre ou s'est-elle contentée de te remettre mes affaires sur le palier ?

— Elle était comme d'habitude. Elle est restée chez nous une petite demi-heure. Nous avons bu du thé et parlé du bled. Ça ne va pas très fort, là-bas, tu sais ? Et toi, ça s'est passé comment avec Yezza ? Tu l'as appelée ?

— Oui.

— Pourquoi elle était dans tous ses états ? À moi, elle n'a rien voulu dire, prétextant que ça ne regardait qu'elle et toi.

— Elle devient folle, lui répondis-je, expéditif.

Je retournai rue Heyvaert faire le guet. Aucune voiture de police ne s'arrêta devant le magasin du Turc. Le soir, je me hasardai du côté de l'atelier désaffecté dans l'espoir de croiser Ramdane le maçon ou un *frère*. En vain.

Le troisième jour, je pris mon courage à deux mains et rejoignis mon lieu de travail. J'étais fatigué d'errer dans un monde parallèle où rien ne me réconfortait. Le patron ne me fit pas de scène. Il goba l'histoire de la tentative de suicide de ma sœur aînée et m'orienta immédiatement sur les livraisons qui m'attendaient.

Une semaine plus tard, un jeune homme se présenta au magasin. Il acheta un lit à une place, une table de chevet et une armoire, paya en liquide et me pria de le suivre chez lui pour monter les meubles qu'il venait d'acquérir.

— Pas besoin de ton fourgon, j'ai le mien, me dit-il. Ça m'évitera les frais de la livraison.

C'était un garçon plutôt sympathique. Il avait l'air instruit, avec ses lunettes d'étudiant et ses cheveux coupés en brosse. Il habitait seul dans un immeuble rabougri à l'extrémité d'une banlieue pavillonnaire. Il m'aida à décharger les meubles dans un petit deux-pièces au deuxième étage et attendit au salon que je finisse le montage du lit et de l'armoire.

J'étais en train de remballer mon attirail lorsqu'une voix retentit derrière moi :

— Alors, tu la trouves comment, ta nouvelle planque ?

Cette voix ! On aurait dit l'appel du muezzin.

Je bondis sur mes jambes.

Lyès se tenait dans l'embrasure de la porte, rasé de frais, engoncé dans un survêtement rouge et noir. Je ne l'avais pas reconnu tout de suite, sans sa barbe. J'étais si content de le revoir que le tournevis m'échappa des mains… Qui avait dit que je pouvais me passer de mes *frères* ? Foutaises. J'avais essayé de me faire croire que j'étais en mesure de vivre sans eux, mais il avait suffi à Lyès de réapparaître pour que les choses se remettent à l'endroit. Mes doutes, mes hantises, mes frustrations volèrent en éclats. Mon cœur battait si fort qu'il me faisait mal. Je n'étais plus une épave à la dérive – j'étais de nouveau sur mes rails, parfaitement dans mon élément.

Lyès écarta les bras pour me donner l'accolade. Son étreinte de colosse m'engloutit presque.

En serrant mon émir contre moi, c'était le bonheur que je tenais à bras-le-corps. Je retrouvais l'odeur des miens, leur chaleur, leur ferveur contagieuse. J'étais soulagé, rassuré, sauvé, comblé ; j'étais tout cela en même temps et je m'en voulais d'avoir pensé que mes *frères* ne me manqueraient pas.

Lyès me repoussa pour me contempler :

— Tu te portes comme un charme. Apparemment, tu t'es mieux débrouillé que nous autres.

— Où étiez-vous passés tous ?

— D'après toi ?

— Je commençais à désespérer.

— Il ne fallait pas.

— J'étais complètement largué.

— On veillait sur toi de loin.

— Je n'en avais pas l'impression.

Il m'invita à m'asseoir. Je préférai rester debout. La joie des retrouvailles se dissipa aussitôt. Mes semaines d'angoisse me rattrapèrent, chargées des reproches que je ruminais au fin fond de ma solitude.

— Vous auriez pu me faire un petit signe.

— Je t'ai envoyé Ramdane.

— Tu parles d'un émissaire. Il n'a même pas été fichu de me dégotter une planque.

— Il a mis à ta disposition l'atelier de l'association.

— Un atelier désaffecté.

— Il y a l'électricité et l'eau courante.

— Mais pas de chauffage. Je dormais sur des cartons.

Il posa ses deux mains sur mes épaules et m'obligea à m'asseoir sur le lit que je venais de monter.

— Je t'ai envoyé de l'argent. Assez pour t'acheter un réchaud et des couvertures… Bref, on ne va pas se prendre la tête pour des futilités. Personne n'était à son aise, ces derniers temps. Moi-même, je me terrais dans différents sous-sols. On est en guerre, je te rappelle.

En guerre... La nuit du 13 novembre fulgura dans mon esprit. Le ululement des sirènes de Paris résonna contre mes tempes, accélérant mon pouls, hérissant ma chair de milliers d'épines.

Je ne reconnus pas ma voix quand je m'entendis dire :

— Le RER était bourré. J'aurais fait un massacre. Je me suis esquinté le doigt sur le poussoir, mais rien ne s'est produit.

— On est au courant de ce qui s'est passé.

— Moi, pas. Je veux des explications.

— Le cheikh te les fournira en temps voulu.

Il fit signe au garçon resté dans le salon de nous rejoindre.

— Je te présente Hédi, un *frère* qui nous vient de Tunisie. Il est désormais ton colocataire. Vous aurez largement l'occasion de faire plus ample connaissance.

— Quand dois-je rencontrer le cheikh ? Il faut qu'on tire au clair cette histoire de fausse ceinture.

Lyès me décocha un regard noir. Ses mâchoires se crispèrent.

— Tu ne vas pas faire une fixation là-dessus, Khalil.

— Ça m'obsède. Il fallait me voir à Paris, une ville que je ne connaissais pas, sans un papier sur moi, sans argent, avec des barrages dressés à chaque coin de rue. Je n'avais même pas un couteau pour me trancher la gorge au cas où. J'aurais fait quoi si on m'avait arrêté ?

Lyès envoya le Tunisien nous acheter de quoi manger. Une fois ce dernier parti, l'émir me confia :

— C'était un gilet d'instruction.

— D'instruction ?

— Exact. Un outil pédagogique. Il servait à initier nos apprentis artificiers à la fabrication des ceintures d'explosifs. Quelqu'un a dû se tromper en le rangeant au mauvais endroit. On aurait dû vérifier, on ne l'a pas fait. C'est regrettable, mais c'est comme ça. Le cheikh t'adresse ses excuses. Il a prévu de te recevoir en privé pour tourner la page sur ce malencontreux chapitre.

— Quand ?

— Dès que ce sera possible. Les services ennemis ratissent large. Ils sont en train de démanteler à grande vitesse le réseau Shâm, ce qui prouve qu'il y a des fuites. Notre groupe n'est pas inquiété, mais nous restons sur nos gardes. Les mosquées grouillent d'infiltrés. Il y a des indics disséminés dans nos quartiers.

Je me pris la tête à deux mains pour réfléchir. Comment réfléchir avec un guêpier dans le crâne ? L'histoire du *faux gilet* me tarabustait. Quelque chose, dans la version de Lyès, me renvoyait à celle de Ramdane, et l'émir me parut aussi insondable que le maçon. *On est au courant de ce qui s'est passé.* Comment ? Qui leur avait rapporté ma déroute parisienne ? Personne, en dehors de moi, ne pouvait savoir ce qui s'était passé dans le RER. Et moi qui redoutais que l'on me prenne pour un trouillard, qui attendais sur la braise le moment de m'expliquer, de plaider ma cause, de brandir le téléphone grillé plus haut qu'une pièce à conviction dans l'espoir d'être cru et réhabilité, les voilà qui *s'excusent*, qui *déplorent*, qui veulent *tourner la page sur ce malencontreux chapitre.* Trop facile.

Je sentis le regard de Lyès peser sur ma nuque comme un cimeterre.

Je me ressaisis :

— Comment a-t-on identifié Driss ?

— Il avait un casier judiciaire.

— Je me demande…

— Tu poses trop de questions, Khalil, me coupa Lyès. Ce n'est pas bien. Quant à Driss, les services sont persuadés qu'il faisait partie du réseau Shâm. Hormis sa mère, personne de chez nous n'a été inquiété. L'association n'a pas fait l'objet de perquisition. Certes, notre mosquée est surveillée, mais aucune preuve concrète ne fait d'elle une cible prioritaire. Elle est surveillée au même titre que les autres lieux de culte.

Je me levai pour ouvrir la fenêtre. Je suffoquais. L'air froid me rafraîchit un peu. Je respirai à pleins poumons, expirai, inspirai, m'aperçus que mes mains tremblaient. Le passage brutal de la joie des retrouvailles aux interrogations assassines m'avait laminé. Je m'arc-boutai contre le rebord de la fenêtre pour tenir le coup. Au loin, sur un terrain vague, des clochards avaient allumé un feu dans un baril. Ils tendaient leurs mains aux flammes, debout dans leur dénuement, semblables à des damnés aux portes de l'enfer.

— Qu'est-ce qui ne va pas, Khalil ? Tu as traversé des moments d'extrême turbulence, je n'en disconviens pas. Mais est-ce ainsi que réagit un croyant qui était prêt à donner sa vie ? Reprends-toi, et vite. Si tu laisses le doute s'installer dans tes convictions, le Malin s'invitera aussitôt à ta table et tu te surprendras en train de manger ta propre chair.

— …

— Retourne-toi, Khalil. Je veux lire dans tes yeux ce qui trouble ton âme.

Je n'eus pas la force de me retourner.

Lyès me saisit fermement par l'épaule et me fit pivoter. Son regard plongea en moi comme une sonde mortelle. Pour la première fois, j'eus peur de cet homme qui fut mon ami d'enfance, mon mentor et mon émir.

— À quoi tu penses ?

Il me fallait trouver une échappatoire sans tarder car mon destin n'était plus entre mes mains.

Je dis, en refoulant le caillot dans ma gorge :

— Tu fais confiance à Ali le chauffeur, toi ?

— C'est lui qui te chiffonne ?

— Qui d'autre ?... Ce type n'est pas plus fiable qu'un serpent. Si tu avais vu comment il s'est taillé dès qu'il nous a déposés à Saint-Denis. Il était pressé de déguerpir. Quand je l'ai appelé au téléphone pour qu'il revienne me tirer du fiasco dans lequel le mauvais gilet m'avait fichu, il s'est mis sur répondeur... Je suis certain que s'il venait à être chopé par les services, il déballerait tout.

— Tu n'avais pas à l'appeler au téléphone, Khalil. C'est contraire aux instructions. Mais, rassure-toi, Ali ne présente aucun risque pour nous. En ce qui te concerne, pour le moment, tu n'es ni recherché ni suspecté. Par ailleurs, tu as un alibi en béton. La nuit du 13 au 14 novembre, tu étais à Bruxelles.

— Vous auriez pu me trouver un meilleur alibi. Moi, forniquer avec une femme mariée, mère de famille de surcroît ? C'est comme si j'accomplissais le péché de la chair pour de vrai.

— Ta mission est plus importante que tes petits problèmes d'ego. C'est l'alibi que l'on a choisi pour toi. Tu dois t'y conformer, point barre. Certains de nos frères sont serveurs dans des bistrots, vigiles dans des cabarets. Aux yeux du Seigneur, ils n'en sont pas moins purs qu'un imam sur son minbar. Alors, s'il te plaît, ne sois pas plus royaliste que le roi. Tu fais partie d'un projet, le reste, tu mets de la chaux dessus. À partir de maintenant, tu loges ici. C'est un coin peinard. Contente-toi de rester discret. Bien sûr, tu continueras de bosser chez le Turc jusqu'à nouvel ordre, sauf que tu n'es plus obligé de jouer au veilleur de nuit dans son bazar. Si tout va bien, nous nous remettrons au travail dans deux ou trois mois. Nous avons du pain sur la planche. La prochaine fois, on vérifiera ton arsenal de guerre avant de t'envoyer au front. J'espère que tu es toujours partant.

— Plus que jamais, lui dis-je sans une seconde d'hésitation.

10.

Mon patron ne protesta pas quand je lui annonçai ma décision de ne plus assurer le gardiennage de nuit. Il était même content de revoir à la baisse mon salaire. Nous nous entendions finalement bien, lui et moi. Il nous arrivait de casser la croûte dans son bureau en parlant de la pluie et du beau temps. Parfois, il me laissait les clefs de son magasin et partait frimer dans son 4 × 4 haut de gamme. Je crois qu'il était fou de sa voiture ; il passait le plus clair de sa journée à l'astiquer de fond en comble, à la parfumer et à traquer le moindre grain de poussière sur le tableau de bord et sur les sièges en cuir. Souleymane adorait ranger son char étincelant devant le magasin pour en mettre plein la vue aux passants et aux riverains.

J'avais du chagrin pour lui.

Il n'est plus grossière ivresse que le clinquant illusoire, et plus ridicule péché que l'ostentation.

Les frasques de mon patron ne m'empêchaient pas de m'acquitter de mes tâches. Je tenais à jour le registre des livraisons, avec les rentrées d'argent chiffrées au centime près, prenais les commandes, négociais avec les clients comme si je gérais mon propre bien. Au début, le Turc vérifiait méticuleusement les recettes en tapant et en retapant sur sa calculatrice. Plus maintenant. À peine jetait-il un œil sur les bons pour la forme. De temps en temps, son fils, un tire-au-flanc de 22 ans, venait fureter autour de la caisse. Je le dégageais *manu militari*.

Le soir, je retrouvais mon colocataire. Hédi n'était pas bavard, mais lorsqu'il était obligé de parler, il disait des choses sensées. D'après Ramdane, le Tunisien croulait sous les diplômes. Sa traçabilité s'arrêtait là. Son histoire, son parcours idéologique, sa fonction au sein de notre groupe relevait du secret-défense. Une nuit, tandis que nous suivions à la télé un documentaire sur l'avènement du nazisme en Allemagne, il s'était mis à contester les thèses officielles, jurant qu'Adolf Hitler ne s'était pas suicidé et qu'il était mort trente-cinq ans après la fin de la guerre, au sud de l'Argentine. En réalité, je me fichais éperdument du sort du Führer, mais je me prêtais volontiers aux théories de mon camarade de chambrée. Il connaissait un tas de vérités sur les dessous de la politique occidentale, les magouilles internationales, les enjeux géostratégiques, l'embrasement au Proche-Orient, l'assassinat de Mouammar Kadhafi et le nouvel ordre mondial en train de reconsidérer les frontières héritées du colonialisme pour assujettir les peuples de seconde zone et s'accaparer leurs richesses. Il pouvait parler durant deux heures d'affilée, sans reprendre son souffle puis, subitement, il se taisait pendant des jours entiers. Parfois, j'avais l'impression de cohabiter avec un esprit frappeur. Hédi était constamment plongé dans ses bouquins, ne les posant que pour effectuer la prière. Il n'en ratait pas une. Il avait l'application de l'appel du muezzin téléchargée sur son iPhone. Au premier déclic, Hédi était debout sur son tapis de prière, tourné vers l'est. Il choisissait les versets les plus longs et restait prosterné longtemps. Je le trouvais excessif, aussi rigide qu'un glaive lorsqu'il était question de la religion, mais il était facile à vivre. Nous nous étions partagé les corvées domestiques. Il s'occupait du ménage, moi de la cuisine. J'étais un peu plus accro à la télé que lui et la seule contrainte qu'il m'imposait était de baisser le son quand il lisait.

Pourtant, un matin, alors que je le prenais pour un saint, je le surpris en train de ranger un paquet de préservatifs dans la boîte à pharmacie de la salle de bains. Il parut étonné par mon indignation :

— Je ne fais qu'assouvir un besoin naturel.

— Tu n'en as pas le droit.

— Si, j'en ai le droit. Et toi aussi. Nous sommes prédestinés au sacrifice suprême. Pourquoi laisser une veuve et des orphelins derrière nous ? Il y a une fatwa qui nous autorise le plaisir de la chair.

— Tu parles du mariage de jouissance ?

— Le mariage de jouissance est une distorsion éhontée des dogmes islamiques, une basse manœuvre chiite qui consiste à rendre licite la fornication extraconjugale, ce que la charia condamne de façon catégorique. Ça n'a rien à voir avec l'exception faite pour les guerriers comme toi et moi. Bien sûr, il y a ceux qui s'abstiennent. Ces derniers ne sont pas mieux considérés que ceux qui cèdent à l'appel légitime de l'instinct.

Pour ma part, je préférais m'abstenir.

Lorsque Hédi revenait d'une *rencontre*, je cherchais à lui tirer les vers du nez, juste pour engager la conversation car je ne supportais pas son mutisme. Il se contentait de sourire et me laissait sur ma faim.

L'imam Sadek fut arrêté chez lui en vue de son expulsion vers le Maroc. La radio et la télé ne parlaient que de ça. Sur les plateaux défilaient experts, grands reporters, militants des droits de l'homme, coqueluches politiques ; certains étaient pour l'extradition, d'autres contre. De son côté, Rabat protestait ; il refusait de s'encombrer d'un « fanatique » naturalisé belge que le royaume chérifien avait déchu de sa nationalité.

J'avais suivi l'intervention de l'avocat de l'imam à la radio. Il y eut des fracas et des insultes à l'antenne.

Un vent d'alerte souffla sur nos places d'armes.

Le siège de Solidarité fraternelle n'avait fait l'objet d'aucune perquisition, mais on avait allégé les effectifs, ne gardant que les femmes, les cuistots et quelques bénévoles au-dessus de tout soupçon.

Lyès, notre émir, s'était évanoui dans la nature après avoir chargé Ramdane d'assurer l'intérim.

Ramdane était le genre d'opportuniste à qui il suffit de confier la garde d'un chiot pour le voir aussitôt chercher à mettre au pas l'ensemble du chenil. Il se prenait vraiment pour le commandeur attitré. Il contrôlait la logistique, convoquait n'importe qui à des heures impossibles pour des futilités. Question discrétion, il aurait mis la puce à l'oreille à un vieux chien handicapé tant il fanfaronnait au quart de tour en ramenant toutes les discussions à ses faits d'armes à lui. Il voulait nous faire croire qu'il était le plus proche collaborateur du cheikh. Bien sûr, il mentait. Ramdane n'était qu'un larbin assidu qui ne savait pas tenir sa langue. Ce fut par lui que j'obtins la réponse à la question de savoir comment l'émir et le cheikh étaient au courant de ce qu'il s'était passé dans le RER parisien.

— Parce que, justement, il ne s'est rien passé alors qu'il devait se passer quelque chose, avait-il répliqué.

Il m'avait raconté que, dans la nuit du 13 au 14 novembre 2015, le cheikh, Lyès, l'imam Sadek et son gendre se trouvaient à Charleroi, chez son beau-frère, un promoteur immobilier à qui je devais ma nouvelle planque. Ils étaient tous les six réunis autour d'un somptueux dîner auquel personne ne toucha. Les chaînes d'info diffusaient en boucle la débandade qu'avaient déclenchée les attentats en Île-de-France.

— Nous étions très inquiets. Le massacre programmé à l'intérieur du stade n'avait pas eu lieu. Lyès ne comprenait pas pourquoi nos *envoyés spéciaux* (il avait dessiné des guillemets avec ses doigts) s'étaient fait exploser à l'extérieur de l'enceinte. L'opération semblait capoter. L'imam Sadek nous a invités à refaire nos ablutions et à prier pour toi. Tu étais notre dernier recours. Les télés passaient du Bataclan aux terrasses des alentours de la place de la République, revenaient sur les attentats ratés de Saint-Denis, mais aucun incident majeur ne s'était déclaré dans le RER. À 2 heures du matin, toujours rien. Pour Lyès, de deux choses l'une : ou bien tu t'étais dégonflé, ou bien la police t'avait arrêté. Dans les deux cas de figure, nous étions en danger. Le cheikh a ordonné la dispersion immédiate et chacun est parti de son côté.

— J'avais appelé Ali le chauffeur.

— L'usage du téléphone est interdit, voyons. Ali ne pouvait ni nous joindre ni te rappeler… Les premiers jours qui ont suivi les attentats, c'était le black-out.

J'étais resté avec le cheikh à Charleroi, dans une planque sûre. Puisque tu ne donnais pas signe de vie, nous étions persuadés que tu avais été arrêté et que les services étaient en train de te cuisiner en secret pour remonter jusqu'à nous. Nous n'avons appris ton retour à Bruxelles que lorsque l'artificier nous a signalé ton passage chez lui. C'est comme ça qu'on a compris pourquoi il ne s'était rien passé dans le RER et que ce n'était pas ta faute. J'avoue que nous étions tous soulagés, mais il fallait te localiser très vite. On m'a mis à ta recherche et j'ai fini par te retrouver. Voilà toute l'histoire.

— Vous aviez cru que j'avais fait défection ?

— Au début, oui.

— Est-ce que j'ai l'air de quelqu'un capable d'une telle lâcheté ?

— Ne le prends pas mal, Khalil. Dans pareille situation, c'est toujours le pire qui est à prévoir. Sinon, comment prendre les mesures drastiques qui s'imposent ? Mais tu es là, parmi nous, aussi déterminé que jamais. Je t'assure que le cheikh est doublement fier de toi. Pour ton courage et pour le sang-froid que tu as su garder alors que tu étais livré à toi-même.

Il m'avait pris dans ses bras et avait posé un baiser appuyé sur mon front, marque de respect généralement réservée aux seuls dignitaires de la mouvance.

Je m'étais senti enfin *expurgé* du venin qui me rongeait les tripes et l'esprit. Cependant, si ma mission inaccomplie à Paris relevait d'une malencontreuse méprise classée sans suite, le doute quant à l'histoire du gilet « pédagogique » persistait. J'admettais que ma ceinture de kamikaze puisse avoir été un spécimen pour apprentis artificiers, mais comment expliquer que la charge explosive ait été bien réelle ?

L'imam Sadek fut finalement expulsé vers le Maroc.

— Les chacals de l'Atlas vont le dévorer tout cru dès sa descente de l'avion, prédit Hédi.

— Nous le vengerons, promit Ramdane.

Je prenais un café dans un estaminet, non loin du magasin. Quelques accros au tiercé bavardaient çà et là. Une greluche fumait dans la rue en discutant avec un Noir haut comme un mât. Au comptoir, deux retraités n'arrivaient pas à se mettre d'accord sur les performances d'un cheval. Le barman leur conseillait de miser sur une jument baptisée Jumper. Derrière lui, son épouse rinçait les verres, l'air maussade.

Un écran plasma diffusait un reportage sur un cirque. On voyait un chapiteau périclitant, des fauves faméliques dans leurs cages, un clown en train de se plaindre des conditions de travail tandis qu'autour de lui un groupe d'acrobates l'approuvait de la tête. L'image s'effaça soudain pour céder la place à un plateau de JT. La journaliste annonçait quelque chose d'urgent.

— Monte le son, glapit un client.

Le barman actionna la télécommande.

La journaliste passa la parole à un correspondant. Ce dernier, micro au poing, se tourna vers la statue du Manneken-Pis qu'un cordon de sécurité quadrillait, jalonné de fourgons de police. Des flics en armes tentaient de tenir les curieux à distance.

— Il s'agirait, de prime abord, d'un attentat terroriste qui, heureusement, n'a pas fait de victimes, dit le correspondant. Un homme a tenté de poignarder deux agents des forces de l'ordre. Selon des témoins oculaires, l'individu, âgé d'une trentaine d'années, a crié « Allahou aqbar » avant de se jeter sur les deux policiers en brandissant un couteau, obligeant ces derniers à tirer. L'agresseur a été évacué vers l'hôpital le plus proche. D'après la police, il est seulement blessé.

— Le con, s'exclama le barman. S'attaquer à des flics armés jusqu'aux dents en agitant un bout de canif et en criant. Tu parles d'un effet de surprise.

— Ça fera un con de moins sur terre, grommela l'un des deux retraités.

Je rejoignis le magasin.

Le lendemain, la photo du *frère* faisait la une des quotidiens. « Le kamikaze du Manneken-Pis », titrait *Le Soir*. Le chef de la police certifiait que l'agresseur, qui était inconnu des services et qui avait succombé à ses blessures dans l'ambulance, portait sur lui une ceinture d'explosifs factice.

Je n'y comprenais rien de rien.

À minuit, Ramdane me téléphona. Je dormais.

— J'espère que je ne te réveille pas ?

— Trop tard, tu viens de le faire.

— À quelle heure ferme ta boutique ?

— À 19 heures.

— Bien. J'envoie quelqu'un te chercher à 19 heures pile, demain.

— Pas Ali, s'il te plaît. Je risque de lui casser la gueule.

— Il n'en a déjà plus.

Quelque chose dans sa voix me glaça le sang. (Plus tard, j'apprendrais qu'Ali le chauffeur n'était jamais rentré chez lui, la nuit du 13 au 14 novembre. On avait retrouvé sa voiture carbonisée sur un terrain vague. Mais aucune trace de son corps.)

Le lendemain, à l'heure fixée, un taxi passa me prendre, rue Heyvaert. Bruno Lesten, rebaptisé Zakaria, était au volant. L'ancienne bête noire des CM2, qui me terrorisait à l'école, était devenu quelqu'un d'autre. Il avait épousé une musulmane et s'était converti à notre religion. Grand, roux comme un feu de bois, il fut l'un des premiers Belges de souche à rallier l'association. Immanquablement aux premiers rangs à la mosquée, il avait toujours un Coran sur lui et il récitait certaines sourates par cœur, en arabe. Le cheikh l'estimait énormément.

Nous n'étions pas très proches, lui et moi ; nous cohabitions au sein de la confrérie, sans plus. Il y avait quelque chose dans son regard qui me dérangeait. J'étais mal à l'aise lorsque nos chemins se croisaient. D'ailleurs, il ne répondait presque pas à mes salamalecs. Je n'avais jamais compris pourquoi Driss l'admirait beaucoup. Bruno n'avait ni charisme ni talent ; il était patibulaire, taciturne, et semblait éprouver un malin plaisir à rabrouer les gens.

— Bruno ?

— Zakaria, me corrigea-t-il.

— Je ne m'attendais pas à te voir.

— Moi non plus, me fit-il, sèchement.

— Tu es rentré quand ?

— Rentré d'où ?

— Ben, d'où tu sais.

— Et je suis censé savoir quoi ?

— Tu n'étais pas en Syrie ?

Son visage se congestionna d'un coup.

— Je n'ai jamais été là-bas.

— Je croyais…

— T'es sourd ou quoi ? Je te dis que je ne sais même pas où ça se trouve, ce foutu bled.

Pourtant, il figurait parmi le tout premier contingent parti faire la guerre à Bachar al-Assad. Contrairement à ses compagnons d'armes qui saturaient le Net avec leurs photos et vidéos de jihadistes victorieux sur les champs de bataille, les uns brandissant la tête décapitée de leurs proies, les autres traînant les cadavres ennemis à l'arrière des pick-up, Bruno veillait à ne paraître nulle part.

— Qui t'a raconté ces foutaises ?

— C'est ce que j'ai cru entendre.

— Entendre de qui ? Que chacun balaie devant sa porte. Sinon, ça va mal tourner. C'est clair ?

— Je n'ai pas cherché à te mettre en rogne.

— T'as pas intérêt. Quand on n'a rien d'intéressant à dire, on la ferme. Si c'est trop demander, on lance la procédure d'urgence. Et il n'y a qu'une seule façon de boucler leur grande gueule aux bavards, ajouta-t-il, menaçant. Les pendre haut et court avec leur langue.

Je n'insistai pas.

Il enclencha la vitesse et démarra sur les chapeaux de roues. Si un chat avait traversé la chaussée, il lui serait passé dessus juste pour signifier combien mon indiscrétion l'avait énervé.

— On va où ? lui demandai-je afin qu'il ne prenne pas mon silence pour de la défection.

— À Knokke-Heist.

— Ce n'est pas encore la saison estivale.

Il me décocha un œil d'un noir incandescent.

Bruno n'appréciait ni l'humour ni la familiarité. C'était, sans doute, la raison pour laquelle je gardais mes distances vis-à-vis de lui. Bruno était un péril latent avec des yeux qui vous torpillent sans sommation et une bouche pour mordre.

— Tu peux mettre le chauffage ? Ça caille là-dedans.

Il ne mit ni le chauffage ni la radio.

Nous avons roulé jusqu'au littoral, à l'extrémité est du pays, sans échanger un traître mot.

Arrivés à Knokke-Heist, nous attendîmes les ordres derrière une station-service. Je voulus aller nous chercher du café chaud ; Bruno me l'interdit.

— Y a tout c'qu'il faut dans la boîte à gants.

Il y avait un sandwich ramolli et froid, une bouteille d'eau minérale, un sachet de bonbons acidulés, mais pas de café.

Bruno consulta sa montre avant de composer un numéro sur son téléphone.

— On est sur place, annonça-t-il à son interlocuteur… Tu es où ? (Il regarda dans le rétroviseur. Deux coups de phares trouèrent l'obscurité derrière nous…) Très bien, mais ne roule pas trop vite. On voit à peine dans cette saloperie de brume.

Une voiture nous dépassa. Bruno lui colla au train.

— Qui est-ce ?

— Moins t'en sais, mieux ce sera pour tout le monde…

— Ce n'est pas la route de Knokke-Heist.

— Changement de programme, on va à Zeebrugge.

Nous atteignîmes notre destination dans un épais brouillard. La voiture de devant s'arrêta devant une villa cossue, mit le clignotant à gauche et poursuivit sa route. Bruno tourna vers l'endroit indiqué. Une grille coulissa sur une cour crissant de cailloutis. Deux hommes armés de kalachnikovs nous attendaient sur le perron de la véranda.

— On n'est pas chez les narcos, les apostropha Bruno. Cachez vos pétoires, putain. Un voisin pourrait vous voir.

Le pieux Bruno n'avait pas tout à fait renoncé à son langage ordurier.

Les deux hommes l'ignorèrent. Ils nous introduisirent dans le hall de la villa, nous confièrent à un colosse noir en survêt et retournèrent à leur poste.

Le cheikh nous reçut dans un immense salon meublé à la marocaine. Il avait pris un sacré coup de vieux, notre bon imam révéré. Il ne nous donna pas l'accolade traditionnelle et se contenta de nous désigner un banc matelassé.

Lyès était là, assis sur un pouf.

Il n'y avait personne d'autre.

Une atmosphère malsaine oppressait la salle.

Le cheikh était de mauvaise humeur. Il congédia sèchement le colosse noir venu nous demander si nous avions besoin de quelque chose. Son chapelet à la main, il prit place sur un coussin et nous regarda, Bruno et moi, comme pour s'assurer que nous étions bien là.

— L'imam Sadek a été livré à ses fossoyeurs, nous annonça-t-il. On l'a extradé dans un avion spécial. D'après nos sources, il était dans un lieu tenu secret à Casablanca avant d'être transféré ailleurs. Nous avons perdu sa trace. De toute évidence, les sbires du roi vont le torturer à mort pour lui arracher des informations sur notre organisation. L'imam Sadek est un saint, mais il est de chair et de sang. Nul ne sait comment il réagira sous la torture. Les bourreaux ont développé des recettes sophistiquées qui viennent à bout, parfois, de la plus coriace des résistances. Aussi, nous devons faire montre d'une plus grande vigilance.

— Toutes les mesures ont été prises, l'assura Lyès.

— N'importe quelle forteresse a ses failles, émir.

Il se tourna vers nous :

— Une chose est sûre, l'imam Sadek ne sortira pas vivant de la gueule du loup dans laquelle la Belgique l'a jeté. Nous connaissons trop la cruauté des molosses du régime chérifien pour les croire capables d'une quelconque preuve d'humanité. De nombreux frères ont péri dans les geôles du roi après avoir été humiliés, dépiautés et vidés de leurs entrailles dans des fosses septiques.

Il égrena son chapelet en ployant la nuque, l'air de refouler un sanglot. Son émotion nous embarrassa, Bruno et moi. Lyès s'efforça de garder une attitude solennelle.

Le cheikh essuya une larme que je n'eus pas le temps d'entrevoir, secoua la tête. Sa barbe frémissait sous l'effort qu'il déployait pour refouler la peine en train de le submerger.

Après un silence pesant, il se remit à égrener son chapelet :

— L'imam Sadek manquera atrocement à notre cause. Il a été notre maître et notre guide. L'imaginer entre les griffes de ces démons m'est insupportable. Quelque chose me dit qu'il ne souffre déjà plus, mais les sbires du roi sont en mesure de ressusciter un mort pour poursuivre leur sale besogne.

Il fit claquer une main dépitée sur sa cuisse :

— Le conseil a décidé de réagir avec force. Le Maroc veut jouer avec le feu, nous allons faire s'abattre sur lui les flammes de l'enfer. Je vous ai convoqués, frère Zakaria et frère Khalil…

— Je suis partant, dit Bruno.

— Je n'ai pas fini ma phrase.

— Je sais ce que vous attendez de moi, cheikh.

— Je n'ai pas besoin de votre réponse maintenant. Je vous laisse le temps de bien réfléchir…

— C'est tout réfléchi, cheikh, persista Bruno.

— Je ne doute aucunement de ta ferveur, frère Zakaria, mais il est impératif, pour ne rien laisser au hasard, que vous y réfléchissiez tous les deux. Ton enthousiasme me touche, ainsi que ton entière disponibilité, mais je n'ai pas le droit de ne pas vous accorder un temps de réflexion. De cette façon, je n'aurai pas le sentiment de vous cueillir à froid ou de vous mettre devant le fait accompli. Le conseil a pensé à vous pour une raison simple. Toi, Zakaria, pour ta belle-famille qui réside là-bas et pour ton casier judiciaire vierge, et toi, Khalil, parce que tu es marocain et que tu n'es fiché nulle part. J'avoue que vous n'êtes pas les seuls sur la liste des candidats. Le conseil décidera en fonction de la spécificité de la mission.

— Je m'en voudrais si l'on choisissait quelqu'un d'autre que moi, s'obstina Bruno. J'ai très mal digéré d'avoir été écarté à la dernière minute de l'opération de Paris. Depuis mon retour forcé en Belgique, je n'attends que ça. Je n'ai pas compris pourquoi on m'a fait revenir. J'étais bien au front. Sauf votre respect, cheikh, j'exige de passer à l'action.

Lyès approuva de la tête.

— Chaque chose en son temps, dit le cheikh. Le conseil n'a pas encore tranché.

— Je veux cette mission, s'écria presque Bruno.

— Moi aussi, fis-je à mon tour.

Le cheikh et Lyès échangèrent un regard satisfait.

— Je ferai part de votre requête au conseil, je vous le promets.

— Je vous en serai infiniment reconnaissant, le remercia Bruno.

Le cheikh se leva pour nous donner l'accolade.

— Personnellement, nous avoua-t-il, j'aimerais que cette mission vous soit confiée. Le Maroc a besoin d'une bonne correction. Le chagrin que j'ai pour l'imam Sadek me sera moins douloureux si ce sont des hommes à moi que le conseil choisit pour nous venger.

Il nous invita à le suivre dans une autre salle.

— Je suppose que vous n'avez pas encore dîné.

— Nous avons cassé la croûte.

— Vous n'auriez pas dû. J'avais prévu un repas pour nous quatre.

Ce ne fut pas un repas, mais un festin.

Bruno et moi retournâmes à Bruxelles le soir même. Là encore, nous n'échangeâmes pas un seul mot.

Bruno n'était pas content. Le fait qu'on m'adjoigne à lui pour une éventuelle opération ne le rassurait guère, persuadé qu'un croyant qui échoue lamentablement dans ce qu'il accomplit de plus sacré est maudit. Pour lui, je porterais la poisse au plus valeureux des combattants et ferais capoter la plus noble des missions.

Son attitude ne m'affectait pas outre mesure. Bruno était plus à plaindre qu'à remettre à sa place.

11.

Ramdane sonna à ma porte. La mine qu'il arborait se voulait préoccupée. Je m'écartai pour le laisser entrer, il fit non d'une main agacée.

— Je t'ai appelé dix fois sur ton portable.

— Je n'avais plus d'unités.

— Ce n'est pas une excuse, Khalil. Nous devons tous être à l'écoute. De jour comme de nuit.

Il était environ 11 heures du soir. Je m'apprêtais à me mettre au lit, après une rude journée. J'avais livré et monté deux armoires à glace, une commode et un lit superposé qui m'avait donné du fil à retordre.

— Rhabille-toi, m'ordonna-t-il. J'ai à te parler.

— On ne peut pas parler ici ?

— Non. Allons faire un tour.

J'enfilai un veston par-dessus le survêtement qui me servait de pyjama, une paire de baskets et le suivis.

Une lune pleine inondait le quartier pavillonnaire d'une lumière argentée. Hormis les voitures garées à la queue leu leu le long des trottoirs, on se serait cru dans une maquette grandeur nature. Pas un bruit, pas l'ombre d'un insomniaque. Les gens s'emmuraient chez eux, face à la télé, et faisaient comme s'ils n'existaient pas. Depuis que j'avais emménagé dans ce foutoir gris et morose, je n'avais pas réussi à croiser un seul de mes voisins.

Ramdane m'ouvrit la portière de son tacot avant de monter à bord. Son obséquiosité affectée me déplut. Il était trop brouillon pour être bien élevé et trop fourbe pour être crédible.

Il mit en marche le moteur, le laissa tourner quelques instants.

— Tu connais un endroit sympa dans le coin ?

— Il y a un commissariat à deux pas d'ici.

Il fronça les sourcils puis, comprenant qu'il s'agissait d'un trait d'humour, il éclata de rire.

— Toi, alors…

Il écrasa la paume de sa main sur ma cuisse. Sa tape amicale m'irrita.

— Y a pas un petit resto peinard ?

— On est dans un quartier pavillonnaire. Il n'y a même pas une boutique pour s'acheter une corde en chanvre et un tabouret.

— Tu as raison. Ce genre d'endroit fait flipper. On dirait un vaste dortoir pour personnes en fin de vie. (Il déglutit en se rendant compte de sa bourde.) Moi, ajouta-t-il tout de suite, j'arrive pas à fermer l'œil s'il n'y a pas un groupe de jeunes en train de papoter au bas de mon immeuble. Quand je suis au chaud dans mon lit et que j'entends passer une voiture, ça me fait l'effet d'une caresse. Je déteste quand c'est trop calme. Une fois, j'étais sur un chantier en pleine campagne. La nuit, je cauchemardais grave à cause du silence.

— C'est pour me raconter ta vie que tu m'as traîné jusqu'ici ?

Il me foudroya du regard.

— Pourquoi t'es désagréable, Khalil ? À croire que tu as oublié ton sourire chez un arracheur de dents. J'ai toujours été réglo et cool avec toi.

— Je suis crevé et j'ai besoin de me reposer.

Il enclencha la vitesse, contourna un pâté de maisons.

— Moi aussi, je suis crevé. Si ça ne tenait qu'à moi, je serais sous ma couette à l'heure qu'il est. Mais il y a des priorités. Assurer l'intérim n'est pas une sinécure. Je suis au four et au moulin, souvent dans le pétrin. Il faut que je règle des trucs par-ci, que je coordonne des activités par-là. La responsabilité est une charge, pas un privilège. Alors, s'il te plaît, un peu de respect.

Il espérait que je lui fasse des excuses. Je ne dis rien. Il se racla la gorge, ralentit pour chercher son chemin avant de s'engouffrer sur une allée fangeuse menant au terrain vague.

Il se rangea sous un arbre et coupa le moteur.

— Qu'as-tu fait de ta ceinture d'explosifs ? me brusqua-t-il.

Il m'aurait tiré dessus à bout portant qu'il ne m'aurait pas causé autant de dégâts. J'étais à mille lieues de m'attendre à une sortie pareille.

Ramdane sut immédiatement qu'il venait de faire mouche. Il tambourina sur le volant, en maître de la situation.

Je mis un certain temps à recouvrer mes esprits.

— Je l'ai détruite.

Il hocha la tête, les lèvres en avant :

— Tu l'as détruite. Bien… et qu'as-tu fait de la charge ?

— Où veux-tu en venir, Ramdane ?

— Tu avais une ceinture d'explosifs sur toi. Je veux savoir ce que tu en as fait. C'est la moindre des choses, non ? Il s'agit d'une dotation qui n'a pas été utilisée. Un soldat, quand il rentre de mission, il remet son arme au magasinier. Tu n'as pas le droit de garder sur toi une preuve qui pourrait nuire à notre groupe.

— Je te répète que je l'ai détruite.

— Tu t'en es peut-être débarrassé à Paris. Si les services ennemis la trouvaient, ils t'identifieraient vite fait, avec les empreintes digitales et les traces ADN que tu as forcément laissées dessus.

Il m'acculait, m'interdisant toute échappatoire. Je n'avais pas prévu de devoir restituer quoi que ce soit au groupe. L'autre problème, et il était de taille : je ne me rappelais pas où j'avais enterré la ceinture. J'avais une vague idée d'un rond-point insolite au milieu des champs, d'un lacet d'asphalte bordant une rivière, mais impossible de me souvenir de la sortie d'autoroute qu'avait prise Rayan de retour de Mons, ni d'un point de repère susceptible de m'orienter.

Ramdane me tenait à la gorge… Curieusement, ce fut lui que me tira d'embarras. Il dit, d'une voix tranquillisante :

— Mais si c'est sûr que tu l'as détruite, le problème est réglé.

L'air revint délier ma poitrine.

— Les services n'ont aucune chance de la retrouver, lui dis-je.

— Me voilà rassuré… J'étais très inquiet.

Il se moucha dans un Kleenex, exhala un « ah » de soulagement et baissa la vitre pour se rafraîchir.

— Tu viens de me retirer une sacrée épine du pied, Khalil. J'imaginais toutes sortes de scénarios. Bien sûr, j'en ai parlé à personne. On a déjà assez de soucis comme ça. Mais avoue que j'avais toutes les raisons du monde de me tourmenter. Avec les technologies de pointe dont disposent les services de renseignement, ils peuvent démanteler un réseau entier à partir d'un poil pubien… Ouf, je peux enfin penser à autre chose.

Il me tapa de nouveau sur la cuisse :

— Comment ça s'est passé, hier, avec le cheikh ?

C'était donc ça. Ramdane m'avait mis la pression pour arriver à la *vraie* question qui le tarabustait : connaître les raisons de ma convocation chez le cheikh. Ce fumier avait le diable en tête. Je dus me retenir pour ne pas lui sauter à la gorge après la frayeur qu'il venait de me faire subir.

— À ma connaissance, tu es son plus proche collaborateur, lui fis-je, sarcastique. Il ne t'a rien dit ?

— Je suis trop pris, ces derniers temps. Et puis, j'suis à Bruxelles et lui ailleurs… Alors ?

— Alors, quoi ?

— Ben, cette rencontre ?

Il salivait comme un fauve sur le cadavre d'une proie.

— Tu promets de garder ça pour toi ? l'appâtai-je, ravi de me payer sa tête.

— Tu as ma parole d'émir intérimaire.

Je le laissai se trémousser sur la braise une bonne minute avant de lui porter le coup de grâce :

— Le cheikh m'a proposé le poste de Lyès.

Il se contracta comme un crabe effarouché. Sa pomme d'Adam, qu'il avait proéminente, se coinça dans sa gorge. Dans la lumière blafarde de la lune, son visage rappelait un masque de cire.

— Tu n'as pas l'expérience requise pour la fonction, bafouilla-t-il. Ni l'ancienneté. Tu n'as jamais commandé qui que ce soit. Pourquoi toi ? La liste d'attente des postulants est longue… Et Lyès ? Il a été limogé ?

— Il a eu une promotion, lui mentis-je afin d'attiser sa jalousie. Il rejoindra dans un mois ou deux le conseil.

— Et moi ?

— Il n'a pas parlé de toi…

— Ça alors ! Ce soir, c'est moi qui te gère, et demain, c'est toi qui vas me mettre au pas. C'est pas juste. Après tout le boulot que je me suis tapé, et l'intérim que j'assume de façon impeccable, je mérite mieux.

— Rassure-toi, j'ai décliné l'offre. Je n'ai pas les compétences nécessaires pour assurer. J'ai dit au cheikh que tu serais plus indiqué que moi à ce poste.

— Tu m'as proposé à ta place ?

— Je ne vois pas qui d'autre proposer. Vu ton ancienneté dans l'Association et ton abnégation, le poste d'émir te revient de droit.

Ressuscité, Ramdane. Il passa de l'affliction à la jubilation plus vite qu'une météorite. Ses yeux se remirent à flamboyer.

— Et qu'a décidé le cheikh ?

— Il doit d'abord se référer au conseil. Mais il n'a pas été contre. Si ce que je viens de te confier ne s'ébruite pas, je pense que tu auras une chance. Tu sais comment ils sont, au conseil ? Dès qu'un nom est porté par la rumeur, ils mettent une croix dessus.

— Dans ce cas, tu ne m'as rien dit.

— On ne se connaît même pas, voyons.

Ramdane s'épongea la figure dans un Kleenex en tremblant comme un fiévreux. Il descendit de la voiture pour respirer à pleins poumons l'air frais, s'étira en se contorsionnant puis, assis sur le capot, il s'abandonna à ses rêveries. Il se voyait déjà en train de gravir les échelles du Levant jusqu'au soleil.

Driss avait raison : il y a ceux qui font la guerre, et d'autres qui font des affaires.

J'étais resté enfoncé dans mon siège, à observer Ramdane échafauder mille projets dans sa tête de cervidé. Je ne me souvenais pas de l'avoir vu une seule fois se porter volontaire pour une opération coup de poing ou bien roder autour d'une synagogue. Il n'était qu'un vulgaire quémandeur de privilèges, un calculateur de premier ordre à l'affût d'une opportunité à rentabiliser en se gardant de prendre le moindre risque…

Il m'écœurait.

Quand je pense que j'étais prêt à me sacrifier corps et âme pour un monde débarrassé de ce genre d'énergumènes ! Même au paradis, j'aurais été très affecté de laisser une telle ordure derrière moi.

12.

Ma sœur jumelle me donna rendez-vous devant la poste. Il faisait beau ; Bruxelles s'offrait au soleil, sans modération. Les terrasses des brasseries affichaient complet. Les magasins étincelaient sous la lumière du jour. Les boulevards débordaient de monde. À Bruxelles, il suffit au ciel de se dégager pour que les rues arborent un air de fête. Mais qui prendrait l'éclaircie pour une rédemption ? Cette ville m'avait toujours menti. Cela faisait longtemps que je ne prenais plus ses promesses pour argent comptant.

Zahra m'attendait sur le trottoir, drapée dans le pardessus que je lui avais offert pour ses vingt ans. Elle me fit de grands signes et traversa la chaussée sans se soucier des voitures tant elle était contente de me revoir.

— Alors, ce voyage à Anvers ?

Il me fallut quelques secondes pour saisir de quoi elle parlait.

— La routine.

— Tu ne devais y rester que deux ou trois jours.

— Ben, ça a été plus long que prévu… Mais, ça a payé. J'ai un boulot, maintenant.

— C’est vrai ? À Anvers ?

— Ici, à Bruxelles. Je travaille chez un marchand de meubles très correct. Si tout va bien, je compte m’associer avec lui.

— Tu vas devenir ton propre patron ? C’est super.

— On n’en est pas encore là, mais on progresse.

— Je suis très heureuse pour toi. On va pouvoir te voir un peu plus souvent.

Elle m’attrapa par le poignet et me traîna derrière elle.

— Viens, il faut que je te présente quelqu’un.

Elle était surexcitée.

Elle m’emmena dans une agence de voyages, à une centaine de mètres de la poste. Une jeune demoiselle était en train de ranger des dossiers, sanglée dans un tailleur étriqué qui me mit aussitôt mal à l’aise.

Les deux filles se donnèrent une accolade trop enthousiaste à mon goût. Je me tins en retrait pour ne pas avoir à serrer la main à l’inconnue.

— J’étais dans le coin et je suis passée te saluer, dit ma sœur.

— C’est gentil.

— Tu as reçu mon SMS ?

— Bien sûr.

— Tu es d’accord ?

— Il faut que je demande d’abord à mon patron. Ça fait des mois que je n’ai pas pris de congé.

— J’aimerais que tu participes à la fête. On a besoin de toutes les filles.

— Je vais voir ce que je peux faire.

— Très bien… On en reparlera ce soir, chez Nawal… Tu connais mon frère ?

La fille me fixa un instant avant de faire non de la tête, timidement.

— C'est Khalil. Il va bientôt être son propre patron. C'est un menuisier hors pair…

La fille détourna légèrement le menton, gênée.

— Bon, il faut que je file. Tu as un tas de dossiers à ranger… Eh bien, à ce soir, Leïla.

— Sans faute, Zahra. J'ai un truc à récupérer chez Nawal.

Nous sortîmes dans la rue. Ma sœur était rouge comme une pivoine.

— Tu as vu les yeux qu'elle a ? me fit-elle, la voix contractée par l'émotion. D'un vert pur. On dirait les billes en verre avec lesquelles on jouait, toi et moi, quand on était petits. Si transparents qu'on pourrait lire jusque dans ses pensées.

Je ne la suivais pas.

Elle m'arrêta au bout de la rue, haletante.

— N'est-ce pas qu'elle est jolie ?

— Elle est jolie.

— C'est une fille formidable, sérieuse et tout. On ne dit que du bien d'elle. Son père est comptable et sa mère institutrice. Elle a deux frères à l'université. Une famille convenable…

— À quoi riment ces éloges, Zahra ?

Elle étreignit fortement mes poignets.

— Dès que je l'ai vue, j'ai pensé à toi. J'ai mené ma petite enquête et je suis persuadée que Leïla est faite pour toi. Tu te rends compte ? Tu pourrais avoir des enfants aux yeux clairs.

— Quoi ?

— Il faut bien que tu fondes une famille, Khalil.

— Désolé, je suis déjà pris.

— Tu ne vas pas me dire que tu as renoué avec cette folle de Mansourah.

— Non, pas avec cette folle.

— Est-ce que je la connais ?

— Je ne crois pas.

— Qu'est-ce qu'elle aurait de plus que Leïla ?

— Le voile intégral.

Zahra était déçue. Son enthousiasme s'éteignit d'un coup, laissant place à une perplexité contrariée.

— Le voile intégral ne prouve rien, Khalil. Je connais des filles qui le portent de jour comme de nuit sans qu'il les empêche de monter dans des voitures louches.

— Pas la mienne.

— Tu dois me la présenter.

— Dès que les choses se mettront en place.

Elle regarda autour d'elle, embarrassée.

— Écoute, je ne cherche pas à te forcer la main. Le mariage est une affaire sérieuse. Ne prends pas de décisions que tu risques de regretter. À ta place, j'y réfléchirais à deux fois. Leïla est formidable, instruite et pieuse. Ne te fie pas à sa façon de s'habiller. C'est son patron qui l'exige. Je t'assure que c'est une fille saine. Nous prions ensemble tous les vendredis à la mosquée… Et si on allait dans un café pour en discuter tranquillement ?

— Tu devrais éviter les cafés. C'est très mal vu, une fille qui s'attable au milieu d'inconnus. C'est un endroit exclusivement réservé aux hommes, le café.

— Alors, rentrons à la maison.

— Tu sais très bien que ce n'est pas possible, Zahra.

— Notre père a besoin de nous. L'IRM a détecté, chez lui, un adénome de la prostate. L'urologue lui a demandé d'effectuer une biopsie pour déterminer la nature de la tumeur.

— C'est la volonté de Dieu.

— D'accord, mais il s'agit de toi. Dieu ne t'interdit pas de te réconcilier avec ton géniteur. Bien au contraire, l'islam prône le pardon. La piété filiale est aussi sacrée que la piété elle-même. Et puis, que peux-tu bien reprocher à notre père ? De t'avoir tiré l'oreille de temps en temps ? Je ne vois pas les raisons d'une telle rancœur. Après tout, c'est ton père.

— Il faudrait d'abord qu'il arrête de se soûler comme un porc.

— Comme un porc ? s'indigna-t-elle, la gorge contractée. C'est comme ça que tu traites ton père, Khalil ? De porc ? (Ses yeux se remplirent de larmes.) Tu n'as pas le droit. Et je te l'interdis, tu entends ? Demande à n'importe quel imam si Dieu accepterait qu'un rejeton traite son père de porc. Le Coran est catégorique là-dessus. On n'a même pas le droit de contredire ses parents, encore moins de les rabrouer. Quant à les détester, ça relève du sacrilège.

Ses pommettes tressautaient de colère.

— Si tu tiens à moi, Khalil, si tu veux me revoir encore, rentre t'excuser auprès de ton père. Je veux que tu lui baises la tête, que tu te mettes à genoux devant lui et que tu lui demandes pardon même si tu estimes que tu n'as rien à te reprocher. Sinon, ne cherche même pas à me joindre au téléphone.

Sur ce, elle me laissa planté sur le trottoir et se dirigea en hâte vers le bus qui venait de s'arrêter.

J'étais loin de me douter que je n'entendrais jamais plus sa voix.

Le soir même, tard dans la nuit, le téléphone sonna chez Hédi.

Mon colocataire vint allumer dans ma chambre.

— Rhabille-toi. On me charge de te conduire à Gand.

— Maintenant ? grognai-je, ensommeillé et mécontent d'être dérangé à une heure pareille, persuadé qu'il s'agissait encore d'un excès de zèle de Ramdane.

— Tout de suite. Prends tes affaires avec toi, ainsi que tes papiers et ton passeport.

Une voiture nous attendait à l'entrée de Gand. Nous la suivîmes jusqu'à une petite maison en briques pleines donnant sur un jardin potager. La voiture qui nous escortait ralentit devant une grille, mit le clignotant et poursuivit sa route, comme à Zeebrugge. Cette fois, ce ne fut pas un Noir en survêt qui nous accueillit dans le vestibule, mais notre émir Lyès en personne. Il était seul. Il pria Hédi d'aller nous préparer du café dans la cuisine et m'introduisit dans un cagibi sommairement meublé. Il y avait un lit, une table basse, une armoire efflanquée dans un coin et un tapis usé au sol.

— Je suppose que ce sont mes nouveaux quartiers, dis-je, déçu.

— Pour cette nuit seulement, me rassura l'émir. Demain, tu seras mieux logé.

— Pourquoi ne pas avoir attendu demain ?

— Khalil, mon frère, quand vas-tu apprendre à ne pas trop poser de questions ?... Ta nouvelle planque ne sera prête que demain. Tu veux savoir pourquoi je t'ai tiré du lit si tard ?

— Non.

— Je vais te le dire quand même. Parce que le conseil vient, il y a moins de deux heures, de trancher. Tu as été choisi pour l'opération. Le cheikh voulait te féliciter de vive voix. Il a demandé à te rencontrer ici. Malheureusement, il vient de m'appeler pour s'excuser. Une urgence l'a retenu ailleurs… Tu veux savoir pourquoi Gand ?

— Non.

— Je vais quand même te le dire : pour t'éloigner de Bruxelles afin de préserver au maximum nos plans. À partir de maintenant, tu romps tout contact avec le monde extérieur… Donne-moi ton téléphone.

Je m'exécutai.

Il me fournit un autre portable.

— Il y a seulement deux numéros sur celui-là. Le mien et celui d'Hédi, qui va être à ton service jusqu'à ton départ. Tu ne m'appelles pas directement. Si tu as besoin de moi, tu passes par Hédi. Il transmettra. Et tu ne décroches que lorsque s'affiche sur ton cadran mon nom de code : Lisboa. Pas de Lisboa, pas de réponse. Sauf pour Hédi, bien sûr. Je récapitule : tu n'appelles que Hédi et ne réponds qu'à moi. N'essaye pas de joindre ta famille ou quelqu'un d'autre. Est-ce clair ?

— Très.

— Nous sommes seulement deux à connaître ton numéro…

— Lyès, je ne suis plus un gamin, voyons… Je pars quand ?

— Je l'ignore. Mais ça ne saurait tarder.

— Pour quelle destination ?

— Le Maroc, bien sûr.

— Et Bruno ?

— Zakaria est en route. Il arrive.

Hédi nous apporta du café. Lyès le remercia avant de l'inviter à retourner à Bruxelles sur-le-champ.

— Tu restes à l'écoute, lui ordonna-t-il.

Après le départ du Tunisien, Lyès me pria de lui remettre mon passeport, vérifia sa date de péremption, les rares tampons qui ornaient les pages intérieures. Il fronça les sourcils.

— Un problème ?

— Pas forcément. La dernière fois que tu es parti au bled remonte à plus de trois ans. Tu répondrais quoi si on te demandait à la police aux frontières pourquoi ce retour tardif ?

— Pourquoi veux-tu qu'on me demande ça ?

Il me décocha un regard sévère.

— Pardon, ça m'a échappé, m'excusai-je… Je dirais qu'on m'a parlé d'une belle cousine et que je viens constater par moi-même si elle me convient.

— Elle a un nom, la cousine.

Je réfléchis.

— Milouda.

— Elle existe vraiment ?

— Oui.

— Elle s'est peut-être mariée depuis.

— Elle n'a que quinze ans.

— Elle habite où ?

— À Nador.

— Et qu'est-ce que tu viens faire à Marrakech ?

Je ne sus quoi improviser.

— Tu vois ? Ce sont ces petits détails qui risquent de foutre en l'air des plans mûrement élaborés… On peut te poser n'importe quelle question à l'aéroport de Marrakech. Ce sont de vrais serpents, là-bas. Ils ont une longueur d'avance sur le diable. Pour passer entre les mailles de leurs filets, tu dois garder ton calme et avoir réponse à tout. Pour Zakaria, le problème ne se pose pas. Son beau-frère gère une fabrique de quincaillerie à Souihla, à l'ouest de Marrakech. Quant à toi, tu rends visite à ton cousin par alliance qui réside à Gueliz. Son nom et prénom, sa filiation, son adresse et sa photo se trouvent dans l'enveloppe posée sur l'oreiller, là.

Une voiture s'arrêta dehors. Lyès jeta un coup d'œil par la fenêtre.

— C'est Zakaria.

— Il aurait pu venir avec moi. Les voitures qui s'arrêtent au même endroit à des heures impossibles attirent l'attention des voisins.

— Zakaria n'était pas à Bruxelles.

Lyès alla ouvrir.

Bruno lui donna une accolade gaillarde dans le vestibule en se contentant de m'adresser un imperceptible salut de la tête.

— On a roulé à tombeau ouvert, dit-il.

— Tu es dans les temps. Dis au chauffeur de s'en aller.

Bruno chassa de la main le conducteur resté dans la voiture, referma la porte.

— Alors ? s'enquit-il, fébrile. J'espère que tu ne m'as pas fait traverser le pays pour m'annoncer une mauvaise nouvelle.

— Tu pars.

Bruno sauta au cou de l'émir.

— *Alhamdoulillah*… Je n'ai pas arrêté de prier durant tout le trajet. (Il se tourna vers moi.) Khalil est dans le coup ?

Bruno ne parut pas ravi d'apprendre que je partais avec lui.

Lyès lui tapota sur l'épaule :

— Khalil est un élément sûr. Il y avait six candidats volontaires, tous aussi déterminés les uns que les autres. Le conseil vous a choisis parce que votre profil est le plus indiqué.

Je n'appréciais pas tellement Bruno, mais ce soir-là, je l'avais détesté.

Lyès nous réunit autour de la table basse pour nous expliquer ce que le conseil attendait de nous. Il étala une carte de Marrakech sur laquelle deux endroits étaient entourés d'un coup de crayon rouge.

— Voici les cibles : le jardin Majorelle ou bien Jemaâ el-Fna. C'est à vous de décider sur place. L'ensemble des moyens nécessaires à l'opération sera mis à votre disposition. Nous savons le jardin étroitement surveillé, mais une fête y est prévue le 23 mars. Il y aura du beau monde à la pelle, beaucoup d'Européens, les notables de la ville ainsi que les autorités locales. Ce sera à vous de voir. Si le dispositif de sécurité, qui sera naturellement renforcé autour du jardin, vous pose problème, vous vous rabattez sur Jemaâ el-Fna. La même date, 23 mars au soir, à l'heure de grande affluence… Le conseil t'a désigné, toi, Zakaria pour commander le groupe. Tu partiras dans deux jours mettre au point tes plans d'attaque. Côté logistique, tout est paré. Tu ne t'occuperas que des préparatifs opérationnels. Une équipe triée sur le volet t'attend sur place.

Quant à toi, Khalil, tu t'envoleras pour Marrakech trois jours avant l'opération.

— Pourquoi ne pas partir avec Bruno ?

Lyès dodelina de la tête, excédé et amusé à la fois.

— Pardon, lui dis-je.

— Je sais, ça t'a échappé.

Bruno se gratta l'arrière du crâne :

— J'opterais volontiers pour Jemaâ el-Fna. C'est plus facile d'accès. En plus, il y a énormément de touristes qui viennent du monde entier…

— Vous déciderez de la cible sur place, l'interrompit Lyès. Personnellement, je préférerais exploser le jardin. Sur le plan médiatique, il susciterait plus de réactions. Le cheikh est de mon avis. Mais on a décidé de vous laisser de la marge car nous tenons à ce que l'opération réussisse à cent pour cent. Certaines sources, crédibles, ont déclaré l'imam Sadek mort assassiné. Le jardin ou le Jemaâ, dans les deux cas de figure, le Maroc doit servir d'exemple à tous les pays musulmans qui s'aviseraient d'épargner à l'Occident d'avoir le sang de nos frères sur les mains.

Nous passâmes une bonne partie de la nuit à peaufiner nos plans de voyage, de résidence et de déplacements à Marrakech, et à prier pour que Dieu nous assiste dans nos choix et nos décisions.

À 4 heures du matin, une voiture vint chercher Lyès et Bruno.

Je restai seul, dans la pièce froide, à tenter de dormir. En vain.

À midi, Hédi me trouva au lit. Il me pria de prendre une douche et de le suivre. Il m'emmena dans un magnifique petit studio, en centre-ville, au dernier étage d'un immeuble donnant sur le Graslei. Nous disposions d'une grande télé fixée au mur, d'un frigo garni et d'une cuisine équipée. Ma chambre était très jolie, avec des rideaux soyeux aux fenêtres, un lit digne d'un nabab et une moquette assortie au bleu du plafond.

— On se croirait dans un hôtel cinq étoiles, m'écriai-je, ravi de trouver un peu de confort après des semaines de cavale et de nuits agitées.

— Et encore, ce n'est rien en comparaison de ce qui nous attend là-haut, tint à me rappeler Hédi.

— Lyès dit que tu es à mon service.

— Tu frottes ta lampe merveilleuse et je surgis devant toi pour exaucer tes vœux.

— Tous mes vœux ?

— Sans exception.

— J'ai envie d'aller sur une plage peinarde.

— Maintenant ?

— Tout de suite.

Hédi écarta les bras avec obséquiosité.

— Qu'à cela ne tienne, Votre Altesse.

En moins d'une heure, nous étions à Blankenberge. Nous nous régalâmes de poissons grillés au Titanic, un restaurant sur le front de mer. Comme la plage était prise d'assaut par des familles endimanchées, je priai Hédi de m'en dénicher une autre moins encombrée.

Nous débouchâmes sur une minuscule baie déserte coincée entre deux rochers.

— Ça t'ennuierait de me laisser seul ? dis-je à Hédi.

— Pas le moins du monde. Je t'attends dans la voiture.

— Je préfère que tu t'en ailles.

— Je te dérange tant que ça ?

— J'ai besoin de communier avec la mer.

— Tu ne comptes tout de même pas te jeter à l'eau ? Tu choperais d'office une crève carabinée, ce qui risque de compromettre nos plans.

— S'il te plaît, va-t'en. Reviens me chercher dans une petite heure.

Hédi était embarrassé.

— Lyès m'a ordonné de ne pas te quitter d'une semelle.

— Je ne vais pas m'envoler. Une petite heure. J'ai besoin d'être seul face à la mer.

Hédi hésita longtemps avant de sortir son téléphone, sans doute pour informer l'émir de mon caprice et obtenir son autorisation.

— Ça ne vaut vraiment pas la peine.

Il finit par acquiescer, remonta dans sa voiture et rejoignit la route.

J'enlevai mes chaussures et mes chaussettes, retroussai mon pantalon par-dessus les mollets et marchai sur le sable humide qui crissait sous mon poids. La mer était démontée. Des vagues tumultueuses cossaient les rochers en giclant d'entre les crevasses dans de furieux geysers. C'était grandiose. Il y avait dans cette hystérie lactée, toute en fracas et en apothéose sans cesse renouvelée, une sorte de jubilation qui me rappelait mes colères lorsqu'il m'arrivait de jeter à terre un adversaire farouchement haï.

Je m'assis sur une dune, serré dans mon veston, pareil à un moineau transi, respirai à pleins poumons, le visage offert au vent. Le piaillement des mouettes cadençait mon recueillement. Un sentiment de bonheur primitif me remplit d'une extraordinaire plénitude.

La dernière fois que je m'étais baigné dans la mer remontait à trois ans. C'était à Saïdia, à l'extrême nord-est du Maroc. Un mince filet de rivière nous séparait des plages algériennes. Un ami de mon père nous avait prêté son cabanon. Tous les matins, j'allais retrouver des copains de vacances pour nager le plus loin possible. Les maîtres nageurs nous sifflaient pour nous sommer de revenir ; nous continuions de nager jusqu'à épuisement, puis nous nous mettions sur le dos et, la bouche pleine comme une outre, nous lancions des gerbes d'eau en l'air à la manière des cachalots. Nous ne sortions des flots qu'à moitié engourdis par l'hypothermie et nous nous couchions sur le sable chaud jusque tard dans l'après-midi.

Entre la mer et moi, il y avait un courant magnétique qui nous raccordait l'un à l'autre afin que je ne perçoive que les vagues en train de moutonner et leur rumeur grandissante. La plage, la colline, le ciel s'estompaient autour de moi. Je n'avais d'yeux et d'ouïe que pour la chorégraphie aquatique. La mer me sidérait avec ses mystères aussi captivants que les mystères de la mort ; je l'aimais parce qu'elle savait taire ses secrets, comme le Seigneur. Nul ne connaît son âge ; aucune science ne peut jauger sa force. Immémoriale, sauvage et imprévisible, elle se mesure au temps qui passe tandis qu'elle nous renvoie à notre inconsistance de fantômes précoces en effaçant nos traces sur le sable, nos épaves sur le récif, les sillons de nos vaisseaux, l'horreur de nos naufrages. Il y a deux choses en elle qui évoquent Dieu : la communion et l'omnipotence. Si la terre tremble sous les cataclysmes, si les volcans l'éventrent et les ouragans la décoiffent, la mer, elle, absorbe ses tempêtes comme on gobe un œuf et, engrossée de nos angoisses, elle continue de veiller sur ses horizons en tenant en respect nos rivages, sempiternellement égale à elle-même, telle une prophétie qui échappe aussi bien aux exégètes qu'au commun des mortels.

Ce jour-là, j'aurais aimé être une goutte d'eau pour me diluer dans le remous d'un ressac, une infinitésimale éclaboussure dans le blanc de l'écume, une microscopique particule d'embrun sur le bec d'une mouette. J'aurais aimé disparaître sur-le-champ, comme ça, d'un claquement de doigts. Je n'avais pas peur de ne plus voir de couchers de soleil puisque j'en cueillerais par paniers entiers dans les vergers du Seigneur. Je n'avais pas à craindre de peiner les êtres qui m'étaient chers puisqu'ils finiraient tous par me rejoindre dans les prairies éternelles. Quand le moment de vérité arrive, le bien et le mal s'annulent. Ne reste que ce qu'il faudra accomplir les yeux fermés. On ne se pose plus aucune question. La seule et unique réponse qui s'impose est : « Je suis prêt ! »

13.

Nous sommes en train de jouer sur la plage déserte, Zahra et moi. Zahra porte une robe blanche, et moi un caleçon trop grand. Nous avons creusé un profond trou dans le sable. J'invite Zahra à descendre dans le trou. Elle rit en rejetant ses longs cheveux en arrière. Fait non de la tête. Je hausse les épaules, décide de descendre moi-même dans le trou. Zahra me retient par l'épaule et descend à ma place. Je la couvre avec le sable jusqu'au cou. Soudain, Yezza dévale une dune en hurlant : « Tsunami, tsunami ! » Je me retourne. Une gigantesque montagne d'eau rougeâtre déferle vers la plage, escortée par une nuée de rapaces noirs... Yezza me rejoint, essoufflée, les yeux révulsés... « Où est Zahra ? » crie-t-elle... « Elle est... » Ma gorge se contracte. Zahra a disparu. « Où est Zahra ?... – Elle était là, il y a moins d'une minute... – Trouve-la avant que le tsunami ne nous emporte... » Je creuse le sable, creuse comme un forcené. Mes mains sont en sang. Impossible d'atteindre Zahra... Je finis par attraper un pan de sa robe blanche qui se met aussitôt à s'effilocher entre mes doigts en volutes de fumée... Paniquée, Yezza me jette sur le dos, me piétine avec rage... « C'est ta faute, c'est ta faute... » Les pieds d'Yezza sont d'énormes sabots ferrés... Chaque coup qu'elle me porte au ventre me fait vomir...

Je me réveillai en sueur, les tripes liquéfiées. Courus aux toilettes. J'eus juste le temps de m'asseoir sur la lunette. Mon ventre se soulagea dans un déchirement. Je crus évacuer l'ensemble de mes intestins.

— Vas-y mollo, me lança Hédi du salon. On se croirait dans une fanfare.

Je sortis exsangue des toilettes, les jambes ramollies.

— Tu es pâle comme un linge, me dit Hédi. Qu'est-ce que tu as bouffé dans mon dos ? On dirait qu'il y a une fuite de gaz de schiste dans l'appart.

— J'ai cauchemardé grave.

— Si tu t'étais levé aux aurores pour t'acquitter de ta prière d'*el-fejr*, tu te serais épargné un sommeil aussi agité...Tu veux que j'aille te chercher quelque chose chez le pharmacien ?

— Pas la peine. Ça va passer.

Je m'écroulai sur le canapé. Hédi était en train de suivre une émission culturelle à la télé. Sur le plateau, un écrivain basané s'entretenait avec une journaliste de la RTBF : « Si nous, musulmans, sommes à la traîne des nations, c'est à cause du tort que nous faisons à la femme. Il me suffit de me rendre dans la rue ou dans une administration pour mesurer combien la femme est dépréciée chez nous. Elle a beau briller par son talent, son intelligence, son abnégation, les hommes ne voient en elle qu'un être subalterne et immature. Aucune nation ne peut s'émanciper pleinement sans avoir, au préalable, libéré la femme.

Mais comment le faire admettre à ces institutions phallocratiques ? » radotait l'écrivain.

— Qui c'est, ce clown ?

— Un bougnoule de service qui fait de la lèche à ses maîtres. C'est à gerber.

— Qu'est-ce que tu attends pour zapper ?

Hédi actionna la télécommande et se déporta sur une chaîne d'info. Des images imprécises montraient des gens qui couraient dans tous les sens, d'autres qui giclaient comme des gerboises d'une bouche de métro, choqués, le visage noirci de fumée. Des filles pleuraient, effondrées au pied d'un immeuble. Des brancardiers évacuaient des blessés tandis que des policiers tentaient de mettre de l'ordre dans un chaos indescriptible.

— Ça se passe où ?

— J'en sais rien, dit Hédi. Je découvre en même temps que toi.

— Les policiers me semblent belges.

En bas de l'écran apparut : « Flash. Attentat dans le métro de Bruxelles. »

— Merde, m'écriai-je, ça va compromettre mon départ pour Marrakech.

— Pourquoi donc ?

— Ben, les contrôles de sécurité vont être renforcés dans les gares et les aéroports pour empêcher les auteurs de l'attentat de quitter le pays.

— Tu n'es fiché nulle part, voyons.

— Je n'aime pas ça du tout. On aurait dû attendre que je sois parti au Maroc. Ma mission est prioritaire.

— Je ne crois pas que notre groupe soit derrière ce coup, ni même mis au courant. Si ça se trouve, il ne s'agit même pas d'un attentat. Les médias ont tendance à réagir au quart de tour et à crier au djihad dès qu'une fumée suspecte se déclare quelque part.

Nous étions restés la matinée entière devant la télé pour savoir de quoi il en retournait. C'était bien un attentat, aussitôt revendiqué par Daech. Selon les premières estimations, on parlait de cinq morts et d'une dizaine de blessés.

Mon ventre n'arrêtait pas de s'enfieller, m'obligeant à retourner aux toilettes toutes les dix minutes. Un mal atroce essorait mon estomac. Je n'évacuais plus que des grumeaux mousseux.

— C'est sûrement une gastro, diagnostiqua Hédi.

— On a mangé la même chose, hier.

— C'est peut-être dû au stress.

— Tu crois que j'ai peur ? lui criai-je, vexé. Je sais parfaitement pourquoi je vais à Marrakech. Et j'en suis honoré. Je ne suis pas un trouillard, tu entends ? Je n'ai pas fléchi à Paris. Sans ce foutu gilet, je ne serais pas là à me retenir de te rentrer dedans. Surveille ton langage, d'accord ? Sinon, je te fous à la porte si amoché que ta mère ne te reconnaîtra pas.

— Ma mère est morte, Khalil. Il n'était pas dans mes intentions de t'offenser.

— Alors, tourne sept fois ta langue dans ta bouche d'égout avant de dire des saloperies.

Hédi préféra se retirer dans sa chambre.

Mes crampes d'estomac s'atténuèrent un peu dans l'après-midi, sans disparaître tout à fait. Pour se racheter, Hédi me proposa de sortir nous balader sur les berges du Graslei. Je déclinai l'invitation. Le soir, il m'offrit un repas copieux dans un vrai restaurant à l'issue duquel nous fîmes la paix.

Lyès devait passer me voir le jour suivant. Il ne vint pas.

— C'est à cause de l'attentat, supposa Hédi.

— Tu penses qu'il y est pour quelque chose ?

— Ce serait bête de sa part. Nous avons une plus grande opération qui nous attend à Marrakech.

— Il ne t'a pas appelé ?

— Non.

La nuit, nous partîmes, Hédi et moi, nous promener sur la rive de la Lys et découvrir un peu le centre-ville. Le temps était clément. Des groupes de jeunes s'amusaient devant les bars survoltés. Nous avions dîné dans une pizzeria. Hédi avait engagé la conversation avec deux filles attablées à côté de nous. Ces dernières n'étaient pas insensibles aux charmes du Tunisien. Elles riaient aux éclats à chacune de ses anecdotes. Hédi avait un troublant talent de séducteur. Il était courtois, intelligent, n'hésitait pas à faire étalage de son érudition. Au bout d'une demi-heure, les filles étaient agrippées à ses lèvres ; elles hochaient la tête en buvant les paroles de mon camarade de chambrée avec une délectation qu'elles ne manifestaient pas en sirotant leur Coca.

— Pourquoi il dit rien ton copain ? pépia la plus mignonne des deux filles.

— C'est un grand timide, lui répondit Hédi.

— Il a un nom ?

— Et aussi autre chose, rétorquai-je, mais je ne suis pas intéressé.

— Il est marié, se dépêcha d'intervenir Hédi pour se racheter auprès de la fille rabrouée.

Finalement, Hédi partit avec les deux copines. En le regardant s'éloigner au milieu de ses conquêtes, je me demandai jusqu'à quel point le Tunisien serait fiable. Qui ne résiste pas à l'asservissement de ses désirs ne peut prétendre à la foi telle qu'on devrait l'observer. J'ai appris à reconnaître ceux qui croient et ceux qui croient croire. Les seconds pensent être touchés par la grâce, mais ils se trompent. La grâce ne touche que les caractères bien trempés, inflexibles, les durs à cuire, les radicaux pur jus que rien sur terre n'emballe outre mesure. Si Hédi cédait aussi facilement aux prurits de la chair, cela voulait dire que les joies fallacieuses d'ici-bas comptaient encore pour lui. Je le voyais mal avec une ceinture d'explosifs autour de la taille. À l'heure de vérité, il ne saurait se défaire de son attachement aux vices de ce monde et, par voie de conséquence, il ne pourrait trouver nulle part le courage de presser sur le bouton-poussoir. Personnellement, je n'aurais pas misé sur lui et j'aurais refusé d'office une opération suicide si l'on me l'avait adjoint.

On peut élaguer les arbres, les déraciner, les transformer en papier, en meubles, en charpente ou bien en bûchers, mais on ne change pas d'un iota les convictions du *vrai* croyant. Moi, je n'aurais pas laissé le regard d'une femme m'aveugler. Je n'aurais pas capitulé devant les tentations et n'aurais pas permis aux chants des sirènes de supplanter l'appel du muezzin. J'étais déjà *ailleurs*, inexpugnable dans ma tour flottante ; j'étais là où pas une illusion d'optique ne pouvait flouter mes repères de musulman. J'avais développé un rapport strictement cosmique aux êtres et aux choses. Était-ce l'apprivoisement de la mort qui nuançait mes sens et refaçonnait mes facultés ?

Sans doute. Autrefois, je passais mon chemin sans m'attarder sur ce qui m'entourait, mais depuis le vendredi 13 novembre 2015, chacun de mes pas se muait en escale. C'était comme si je découvrais un autre aspect de ce que je croyais connaître. Le ciel n'était plus le ciel, il était l'oasis ; la terre n'était plus la terre, elle était un mirage – je *funambulais* entre les deux, la perche souple, le menton haut, de magnifiques ailes blanches dans le dos. Ce qui n'était que banalité prenait une singularité insoupçonnable ; les broutilles de naguère devenaient d'un coup essentielles ; on aurait eu envie de tendre la main pour retenir ce qui s'enfuyait, mais je ne tendrais pas la main car rien ne m'importait plus que cette implacable vérité : tout, ici-bas, est éphémère, chimérique et vain… *Ne restera, par-dessus les absences et les finitudes, que le visage du Seigneur*.

Hédi rentra au petit matin et dormit jusqu'à midi.

Lyès réapparut enfin, vers le coucher du soleil. Il était accompagné de Ramdane. Nous avions dîné, tous les quatre, dans une gargote gérée par un Marocain. De retour au studio, Lyès m'apprit que je partais à Marrakech plus tôt que prévu.

— Quand ?

— Dans trois jours… Hédi m'a informé que tu étais souffrant.

— Je traîne une gastro.

— Il refuse de s'acheter des médicaments, déplora Hédi.

— J'ai pris des infusions, lui rappelai-je.

— Ça n'a rien arrangé.

Lyès plissa le front.

— Il faut te soigner, Khalil. Suppose que tu arrives à Marrakech avec ta gastro, on va croire que tu as des trucs à te reprocher et tu risques d'avoir des problèmes à l'aéroport. Débarrasse-toi de cette saloperie, d'accord ?

— Dès demain, à la première heure, j'achèterai des médicaments.

Il me considéra d'une drôle de façon avant de me demander si j'avais essayé de joindre ma famille ou des proches.

— Tu me l'as interdit, voyons.

— Très bien. Pas de contact avec le monde extérieur. Tu te sens prêt ?

— Je piaffe d'impatience.

— À la bonne heure.

Avant de s'en aller, il prit Hédi à part et chuchota quelque chose à son oreille. Le Tunisien opina du chef. Nous accompagnâmes l'émir jusqu'à sa voiture. Ramdane prit le volant. Pas une fois il n'avait levé les yeux sur moi durant la soirée. Nous attendîmes que la voiture disparaisse au coin de la rue avant de rentrer, Hédi et moi.

Le Tunisien se mit aussitôt au lit et éteignit la lumière dans sa chambre.

Je restai une bonne partie de la nuit devant la télé, le ventre retourné.

Ma gastro empira.

Vers 10 heures, je me rendis en ville afin d'acheter des médicaments.

En sortant de la pharmacie, je tombai nez à nez avec Serge, un ancien voisin de quartier, à Molenbeek. J'ai rarement détesté une personne autant que Serge. C'était une authentique canaille. À douze ans, malgré sa petite bouille de chérubin et son corps de lutin, il adorait se battre et écumer les marchés. À la tête d'une bande armée de gourdins et de chaînes de vélo, il venait souvent torpiller nos matchs de foot sur des terrains improvisés, nous volant au passage notre ballon et nos affaires laissées sur la touche. Parfois, il nous pourchassait jusque devant la porte de nos immeubles. Les commerçants l'appelaient le « démon de la rue d'Osseghem », surnom que Serge arborait avec fierté. La dernière fois que nos chemins s'étaient croisés, un formidable accrochage avait éclaté entre nous. Cela remontait à trois ou quatre ans. À l'époque, je vendais des cigarettes de contrebande pour joindre les deux bouts. Serge était venu me signaler que j'opérais sur son territoire et m'avait sommé de ne plus y remettre les pieds. Sans l'intervention d'une vieille dame qui nous avait séparés à coups de parapluie, l'un de nous deux serait resté à terre. Serge avait eu le nez et la mâchoire cassés ; moi, trois côtes fêlées, une fracture au tibia et sept points de suture sur le cuir chevelu.

Avant que j'aie le temps de retourner dans la pharmacie pour tenter de l'éviter, il m'adressa un petit signe de la main et me lança :

— Comment va ta sœur, Khalil ?

Quelque chose se décomprima instantanément en moi.

Je l'attrapai par le cou et l'écrasai contre le mur :

— Tu la connais d'où, ma sœur ?

D'abord surpris par ma réaction, il se défit de mon étreinte :

— Qu'est-ce qui te prend, bonhomme ? T'es malade ou quoi ?

— La prochaine fois que tu oses parler de ma sœur, je t'arrache la langue.

Il me fixa un moment, éberlué, s'éloigna.

Je me dépêchai de le rattraper :

— Je n'en ai pas fini avec toi.

— Je te conseille de rester où tu es. Si tu poses encore une fois ta sale patte sur moi, tu ne pourras pas t'en servir pour ramasser tes dents.

— Est-ce que je demande des nouvelles de ta sœur, moi ? Et tu me dis ça comme ça, dans la rue, comme si nous étions cousins. Qu'as-tu fait de la *horma*, du respect de la famille ?

— Tu ferais mieux d'aller consulter un psy.

— Ah oui ?

— Ouais. Tu devrais te calmer un peu, petite frappe. Que vient foutre la *horma* là-dedans ? Moi, j'ai perdu un ami dans l'attentat qui a ciblé le métro de Bruxelles. Si ta sœur s'en est tirée, d'autres y ont laissé leur peau.

Il y eut un décalage quelque part. Je n'étais plus sûr de ce que j'entendais.

— De quoi tu parles ?

Ce que Serge dut lire sur mon visage tempéra aussitôt sa colère. Il s'enquit :

— Tu n'étais pas au courant ?

Sans m'en rendre compte, je le saisis par le col de son blouson. Cette fois, il ne me repoussa pas. Il me regarda comme si je tombais d'une autre planète.

— Personne ne t'a rien dit ?

Je sentis ma chair durcir comme la pierre :

— Ma sœur était dans le métro ?

— Je suis désolé de te l'apprendre de cette façon.

— Est-ce qu'elle est morte ?

— Je ne t'aurais pas demandé de ses nouvelles si c'était le cas. D'après ma mère, elle n'a été que blessée.

Le ciel et la terre s'inversèrent autour de moi. Mon ventre se contracta exactement comme en ce matin de l'attentat dans le métro de Bruxelles. Je courus vomir au pied d'un lampadaire.

14.

Je pris le premier train pour Bruxelles. Dans un état second. Priant, en mon for intérieur, que la blessée soit Yezza, et non Zahra. Le Seigneur m'en voudrait sûrement de prier pour l'une au détriment de l'autre, mais il m'importait peu de savoir ce qui était juste et ce qui ne l'était pas. Si le malheur avait choisi de frapper ma famille, je préférais qu'il me fasse au moins une petite faveur, aussi infime soit-elle : plutôt Yezza que Zahra.

Et ce fut Yezza qui m'ouvrit la porte.

Je manquai de m'effondrer.

— Qu'est-ce que tu viens faire chez nous ? me lança-t-elle en me repoussant.

Une tornade prit possession de mon être. J'entendais vaguement mon cœur battre ; il résonnait en moi comme à travers des douves remplies de vents furieux.

Des femmes tenaient compagnie à ma mère, assises sur des matelas à même le sol. Ma mère ressemblait à une hallucination. Enveloppée dans un voile noir, elle s'adossait contre le mur pour ne pas tomber en poussière. Elle s'était griffé le visage ; ses yeux rappelaient deux taches de sang. Elle n'eut pas la force de m'adresser un signe. Elle me regardait d'un air absent, comme si je lui rappelais quelque chose qu'elle n'arrivait pas à cerner.

Je me précipitai dans la chambre de ma jumelle. Zahra n'y était pas.

Yezza me poussa dans la pièce d'à côté :

— Tu es venu contempler le chef-d'œuvre de tes *frères* ?

— Où est-elle ?

— Tu n'as rien à faire ici. Cette maison te renie. Il va falloir une tonne d'encens pour la purger de ton odeur.

— Où est Zahra ?

— Fiche le camp de chez nous, Khalil. Dégage. Personne, ici, ne veut te voir.

— Je te demande, pour la dernière fois, où est Zahra ? Dans quel hôpital ?

— Disparais, sinon je jure d'ameuter le quartier et je dirai à tout le monde le monstre que tu es.

Je la saisis par le cou, avec mes deux mains, et me mis à presser sur sa gorge dans l'intention manifeste de lui faire ravaler un à un ses propos.

— Tu peux le crier sur tous les toits du monde, si ça te chante. Je ne crains personne. Si tu y tiens, nous irons ensemble au commissariat et tu me verras dire à ces fumiers de flics ce que je pense de cette vie de merde dont ils raffolent tant. Alors, dis-moi où est Zahra, si tu veux que tes yeux de sorcière restent dans leurs orbites.

Elle me donna un coup de genou dans le bas-ventre. Je ne lâchai pas prise.

— Sors de chez moi, retentit une voix dans mon dos.

Mon père – ou bien ce qu'il en subsistait – vacillait sur sa canne, le teint cendreux, la figure taillée dans du papier mâché. Un spectre aurait eu plus de relief que lui. Il tremblait de tous ses membres, mais son regard gardait cette acuité qui me le rendait aussi odieux que redoutable.

— Je ne veux plus te voir. Je te renie et maudis le jour qui t'a vu naître sous mon toit. Va-t'en, maintenant. Va rejoindre ta légion de démons et félicite-les pour le mal qu'ils viennent de te faire, à toi, leur *frère* devant le charlatan qui s'est substitué au prophète. (Il fondit soudain en larmes.) Zahra ma chérie, mon enfant, le seul bonheur que j'avais est là où repose le dernier gramme d'affection que j'avais pour toi, là où s'achèvent les joies de ce monde.

Quand je revins à moi, la nuit était tombée. J'ignorais où je me trouvais, comment j'avais échoué dans ce petit jardin public aux arbres dénudés. Si mes jambes avaient marché des heures durant, mon âme n'avait pas suivi. Dans ma tête résonnait encore la voix chevrotante de mon père dont les sanglots s'égrenaient dans mon chagrin comme un robinet qui fuit dans le noir.

Les immeubles en face de moi ne me disaient rien. Je ne me souvenais pas d'avoir mis les pieds dans cette partie de la ville. Étais-je à Bruxelles ? Ou bien à Gand ? En enfer ou bien dans un mauvais rêve ? J'étais totalement déboussolé. Mes chaussures étaient gorgées d'eau et de boue. Où étais-je passé ? Je ne me rappelais rien. Je me faisais l'effet d'avoir traversé la vallée des ténèbres.

Une voiture de police s'arrêta devant moi. Des portières claquèrent. Des pas s'approchèrent avant qu'une torche de poche m'éblouisse.

— Est-ce qu'on peut savoir ce que vous faites ici, monsieur ?

— …

— Vous êtes souffrant ?

— …

La torche fit courir son halo sur mon corps.

— Vous avez vos papiers sur vous ?

Leurs voix ricochaient contre mes tempes en une multitude d'échos caverneux. Le sol semblait ondoyer sous mes pieds. J'avais envie de vomir.

— Levez-vous, s'il vous plaît.

Des mains me palpèrent. Voraces comme des morsures.

— Il a ses papiers sur lui.

— Montre voir.

Je distinguais vaguement deux silhouettes en train de s'agiter autour de moi.

— Ne bougez pas. Nous allons appeler le central pour une vérification de routine.

J'entendis une voix épeler mes nom et prénom, communiquer mes date et lieu de naissance ainsi que mon adresse à Koekelberg.

Je me rassis, me pris la tête à deux mains.

On me rendit mes papiers.

— Rentrez chez vous, monsieur. Il est 3 heures du matin.

Les pas s'éloignèrent.

— Tu penses qu'il est shooté ?

— Il n'est même pas soûl.

— Qu'est-ce qu'il peut bien fabriquer dehors, à cette heure ?

— À ma connaissance, on n'a pas encore instauré le couvre-feu.

— N'empêche.

— N'empêche, quoi ? On est en Belgique. Chacun est libre de passer ses nuits où il veut.

Les portières claquèrent. Les lumières tourbillonnantes du gyrophare s'estompèrent dans le noir. Je me recroquevillai sur le banc, plongeai mes mains glacées entre mes cuisses et fermai les yeux.

Les *frères* défilaient dans l'appartement que je partageais avec Hédi. Certains ne se gênèrent pas pour débarquer en arborant ostensiblement leur barbe de légionnaire en kamis satiné. Afin d'éviter qu'un riverain signale à la police le flux qui aurait pu paraître louche dans mon immeuble, Ramdane s'arrangea pour informer les gens du lotissement que, parmi les victimes de l'attentat qui avait ciblé le métro de Bruxelles, figurait ma sœur jumelle. Des voisins, que je ne connaissais pas, ne tardèrent pas à venir me réconforter. Ils étaient, en majorité, des non-musulmans. Ils ne restèrent pas longtemps parmi nous, sans doute chassés par les émanations des bâtonnets d'encens qui brûlaient dans chaque recoin du salon et par la lecture coranique que diffusait à longueur de journée une mini-chaîne stéréo apportée par j'ignorais qui.

La nuit suivante, le cheikh en personne me fit l'honneur de me recevoir en privé, dans la résidence secondaire d'Issa le boulanger. Il m'embrassa sur la tête, enveloppa mes mains avec ses mains de saint homme et m'invita à m'asseoir en face de lui.

Il me dit :

— Nous sommes tous soumis à l'épreuve, frère Khalil. Nul ne sait quand, ni où, ni comment s'éteindra sa flamme. Cette marge-là est du domaine du Seigneur. Dieu ne nous reprend que ce qu'il nous a prêté. Rien, sur cette terre, ne nous appartient. Ni la fortune ni notre propre progéniture. Celui qui accepte son sort aura compris l'objet de son existence sur terre. Il dit « je reviens à Dieu en toutes circonstances » et le Seigneur lui donnera la force et le courage de surmonter ce qu'il n'a pu empêcher. Quant à celui qui s'insurge contre le malheur qui le frappe, celui-là ne fera qu'ajouter à sa douleur, et aucun réconfort ne lui sera d'une quelconque utilité. Remercions Dieu pour le mal et le bien qu'il nous prodigue afin de nous éclairer sur nous-mêmes. La souffrance nous éveille à notre vulnérabilité, et la fugacité de nos joies à l'inconsistance de ce que nous ne pouvons préserver. Nous appartenons tous à Dieu et nous lui serons tous restitués. Ne restera, par-dessus les absences et les finitudes, que le visage du Seigneur.

L'avais-je entendu ? Je ne le pensais pas.

Je voyais ses lèvres remuer dans son beau visage de patriarche, comprenais parfaitement chacun de ses propos sans qu'ils fassent écho en moi. D'habitude, les larmes affluaient à mes yeux quand il nous parlait sur ce ton imprégné de peine et de longanimité. La justesse de ses mots nous bouleversait car lui-même n'était qu'émotion. Il savait parler aux âmes et aux cœurs. Mais cette nuit-là, ses paroles me traversaient de part et d'autre. En réalité, rien ne m'atteignait. J'avais sombré dans une sorte de catalepsie. Je voyais des ombres qui s'agitaient autour de moi, percevais leurs voix sans qu'elles m'interpellent – un mur invisible séparait leur monde du mien. Plus on venait partager mon chagrin et moins je voulais admettre que j'étais en deuil – j'étais dans le déni total.

Lyès avait « écourté une mission importante » pour se tenir à mes côtés. Il connaissait ma sœur jumelle. C'était lui qui avait payé de sa poche la salle des fêtes où nous avions célébré le mariage de Zahra, quatre ans plus tôt.

Il était resté avec moi les deux premiers jours. À me réconforter et à prier pour le repos de ma sœur. Le soir, il attendait que tout le monde soit parti pour m'inviter à lire le Coran. Il choisissait une sourate et nous la récitions tous les deux à voix basse. Parfois Hédi se joignait à nous. Le Tunisien avait une voix magnifique, si douce et pénétrante que Lyès et moi nous taisions pour l'écouter déclamer des chapitres entiers.

— Il faut que tu ailles te recueillir sur la tombe de ta sœur, m'exhortait-il sans relâche.

Pour Lyès, il était impératif que je me rende au cimetière afin de constater par moi-même que Zahra nous avait quittés.

— Ça t'aiderait à faire ton deuil.

Il chargea Hédi de m'y conduire.

Dès que j'avais vu ce maudit champ hérissé de tombes, je m'étais enfui.

Avant de retourner à sa « mission », Lyès m'invita à dîner chez sa sœur qui habitait en banlieue, dans une petite maison trapue et laide qui sentait le bois vermoulu et la lessive. La sœur de Lyès avait tout préparé avant de nous livrer les lieux et de s'éclipser. La table était encombrée de plats épicés et colorés ; tajine de souris d'agneau aux abricots, couscous aux légumes frais, poivrons en salade, foie grillé, brochettes de poulet – une large palette de l'art culinaire marocain tenait exposition.

Je ne parvins pas à en avaler une bouchée.

Lyès était déçu :

— Samra s'est donné un mal fou pour toi. Elle a été au marché très tôt ce matin et a passé la journée derrière ses fourneaux. Que va-t-elle penser si tu ne manges pas ?

— Elle comprendra.

Il y eut un silence qui me parut interminable. Je voyais les mains de Lyès passer de la fourchette à la cuillère, du couteau au verre sans y toucher vraiment.

— Khalil…

— Oui.

— Khalil…

— Oui, Lyès, je t'écoute.

— Mais moi, je ne t'entends pas.

— Que veux-tu entendre ?

— Ce que tu es en train de te dire à l'instant.

— Que suis-je en train de me dire, d'après toi ?

— Je me le demande. Je suis ton émir. Il est de ma responsabilité de savoir ce que tu as sur le cœur, et derrière la tête, ce que sont devenus tes serments, si tu as changé d'avis, ce que tu es en train de devenir.

— Tu trouves que je ne suis plus la même personne ?

— C'est à toi de me le dire.

Je baissai la tête ; il me saisit par le menton et m'obligea à le regarder dans les yeux :

— Il faut te ressaisir, Khalil. Zahra est auprès de son Créateur… Toi-même avais choisi de partir avant elle.

— Ce n'est pas la même chose.

— C'est la même chose. Que l'on meure aujourd'hui ou demain n'y change rien. Nous ne sommes que des ombres éphémères. Un jour, on est là, un autre on n'est plus. C'est pour cette raison que nous devons nous préparer à nous séparer des êtres qui nous sont chers. Notre chance, Khalil, est de savoir qu'au-delà des ténèbres, il y a un univers de lumière et de beauté. Pour l'atteindre, nous sommes contraints de parcourir un tas de territoires obscurs, c'est-à-dire le malheur, le chagrin, le deuil, toutes les souffrances que Dieu nous fait subir pour tester notre foi. Est-ce que tu penses que le Seigneur est cruel, Khalil ?

— …

— Le Seigneur n'est que bonté infinie. Il nous aime autant que les prophètes et les saints. Il a conçu l'existence difficile pour affermir nos convictions. C'est à travers notre patience qu'il nous perçoit et nous juge. La vie n'est qu'un examen, rien de plus. Heureux celui qui sera admis dans les verts pâturages du Seigneur.

J'étais ailleurs. Là où aucun baume n'était en mesure d'atténuer ma douleur.

— J'ai reporté ton départ à Marrakech. Je ne peux pas t'y envoyer dans cet état. Regarde-toi, tu peines à relever la tête. Tout est fin prêt, là-bas. Zakaria n'attend que toi. Faut-il tout annuler ?

— Pourquoi annuler ?

— Tu es le pivot de l'opération, Khalil. Si tu ne te sens pas…

— Si je ne me sens pas quoi ? Ma mission est une chose, le malheur qui me frappe en est une autre.

— Le conseil ne veut prendre aucun risque.

— Est-ce que je t'ai fait courir le moindre risque à Paris ?

— Tu n'étais pas dans le même état d'esprit qu'aujourd'hui.

— Tu le penses vraiment ? Tu crois que j'ai changé depuis ?

— Je ne crois que ce que je vois, Khalil, et tu ne sembles pas paré pour la mission. Tu es libre de te retirer. Je te promets que ta décision sera respectée. Si tu ne veux pas aller à Marrakech, c'est ton droit. Ce ne sera que partie remise. Certes, ça va chambouler nos préparatifs, mais mieux vaut reporter l'opération que la bâcler.

— Détrompe-toi, émir. Avant, j'avais une raison de mourir. Maintenant, j'en ai deux.

— Tu en es sûr ?

— Aussi sûr que plus rien ne me retient désormais en ce monde.

Nous nous étions quittés sur ces dernières paroles. L'accolade que m'avait donnée Lyès était plus longue, mais moins appuyée que d'habitude. Loin de me ragaillardir, elle n'avait fait qu'aviver mon amertume. Quelque chose me disait que Lyès savait depuis le premier jour de l'attentat que ma sœur avait été tuée et qu'il m'avait caché la vérité, qu'il avait avancé la date de mon départ pour Marrakech pour que je ne me doute de rien.

Le lendemain, et les trois jours qui suivirent, dès mon réveil, je pris un taxi pour courir rejoindre Zahra au cimetière. Je restai pendant des heures auprès d'elle, à méditer et à prier dans le froid et sous la pluie.

Un après-midi, tandis que le soleil se frayait une brèche dans les nuages en train de matelasser un ciel plus bas que jamais, j'entendis le cailloutis crisser derrière moi. C'était Rayan, serré dans un manteau anthracite. Il tenait une rose blanche à la main. Sa présence, au milieu de ce cimetière sans véritable repos, me fit du bien.

— Elle a été le grand amour de mes douze ans, dit-il.

Il s'accroupit, laissa courir ses doigts sur la blessure ocre qui s'était refermée sur la dépouille de ma sœur, posa la fleur dessus. J'attendis qu'il lève les yeux sur moi ; il les garda au sol, perdu dans ses souvenirs :

— Un soir, ta mère l'avait envoyée acheter du pain. J'étais dans la boulangerie. Dehors, il pleuvait des cordes. J'avais mon parapluie sur moi. J'ai proposé à Zahra de la raccompagner. Quand on est arrivés dans la cage d'escalier, je l'ai coincée contre le mur et je l'ai embrassée sur la bouche. Elle m'a giflé avant de s'enfuir. Plus jamais mon regard n'a osé croiser le sien.

— Elle m'avait raconté.

— Non ?

— On n'avait pas de secrets l'un pour l'autre… Elle avait exigé que je te casse la figure.

— Et tu ne l'as pas fait.

— Driss n'était pas d'accord. Il avait peur que tu ne nous laisses plus jouer avec ta PlayStation.

Rayan esquissa un sourire triste.

Je lui dis :

— Je croyais que tu ne voulais plus me revoir.

— On croit parfois à des choses qui nous dépassent, Khalil.

— Qu'est-ce qui t'a fait changer d'avis ?
— Le bénéfice du doute.
— Donc, tu doutes encore.
— Ce n'est pas le bon endroit pour ce genre de débat.
— Cet endroit n'est bon pour personne, Rayan. Mais le débat s'opère n'importe où.
— Si je suis venu, c'est pour être auprès de toi. Je m'attendais à ce que tu me chasses, tu ne me chasses pas. C'est la preuve que tu n'es pas un mauvais gars.
— Qu'en sais-tu ?
— Je me fie à mon intuition.
— J'aurais préféré que tu te fies à ton bon sens.
Rayan se pinça les lèvres :
— Je suis navré du malheur qui te frappe, Khalil.
— C'est la vie.
— J'aimerais te réconforter, mais tous les mots sont dérisoires devant une tombe.
— C'est peut-être pour cette raison que le silence est de rigueur dans les cimetières.
Rayan se releva, ouvrit ses bras. Je tombai contre sa poitrine.
— Ça va aller, me souffla-t-il dans le cou.
Le trémolo dans sa voix trahit le sanglot qu'il tentait de refouler.

Nous avons marché parmi les morts. Une famille priait sur la tombe d'un proche, les femmes voilées de blanc, les hommes visiblement abattus.
Rayan me tenait par le bras.
— J'étais depuis deux semaines à Cambrai. Je suis rentré ce matin. Ma mère n'a rien voulu me dire avant mon retour. Si j'avais su, je serais venu à l'enterrement.

— Je n'ai pas été à l'enterrement. Je n'ai appris ce qu'il était arrivé à ma sœur que quatre jours plus tard. Dans la rue. Par un voisin. Personne, dans ma famille, n'a essayé de me joindre. Tout le monde était au courant, sauf moi.

Il hocha la tête, compatissant.

— Zahra était très fâchée contre moi la dernière fois que nous nous sommes séparés.

— Nul ne peut prévoir comment finissent les choses, Khalil, autrement nous ferions très attention à ne pas offenser les êtres qui nous sont chers.

— Pourquoi a-t-il fallu que l'on se quitte de cette façon, ma sœur et moi ? On ne s'était jamais disputés, avant. C'est dur, très dur. Je m'en veux tellement.

Il posa ses deux mains sur mes épaules, comme nous prenait autrefois Driss lorsqu'il avait une idée à nous soumettre à tous les deux.

— Et si on allait quelque part parler de tout ça ? Je connais un resto sympa dans le coin. Le chef fait des merveilles.

Sans attendre ma réponse, il me poussa vers sa voiture garée au bout de l'allée. À l'instant où je m'assis sur le siège, la digue, qui retenait mes larmes depuis quatre jours et quatre nuits, céda, et j'éclatai en sanglots.

Rayan passa son bras par-dessus mes épaules :

— Allez, lâche-toi. Pleure un bon coup, ça va te faire du bien.

Il continua de me parler, puis sa voix se mit à s'atténuer tandis que des hoquets m'ébranlaient de la tête aux pieds. Je n'entendais plus que mes gémissements se déverser sur la terre entière.

— … lil, redresse-toi maintenant. On va d'abord faire un petit tour, d'accord ? Si tu veux, on quitte la ville pour une heure ou deux. Hein, Khalil ? Et après, on ira manger et discuter de tout ça à tête reposée.

— Le matin de l'attentat, j'ai fait un rêve d'une rare violence et passé le reste de la journée dans les chiottes, l'agonie de ma sœur au ventre.

— C'est normal, vous êtes jumeaux.

— Oui, mais je n'avais pas fait le lien. Pendant que je me vidais des entrailles, ma sœur se vidait de son sang, et je ne le savais pas. Je croyais avoir chopé une gastro. Tu t'rends compte, Rayan ? Une gastro. L'être le plus cher que j'avais sur terre était en train d'agoniser, son mal me ravageait les tripes, et pas une seconde ça n'a fait tilt dans ma tête… Tu ne peux pas savoir combien je m'en veux de n'avoir pas compris. Ma jumelle était en train de mourir, et moi, qu'est-ce que je faisais ? Je me préparais des infusions à la camomille, à la camomille, à la camomille, hurlai-je en cognant sur le tableau de bord à me briser le poignet.

— Khalil, arrête… Ça ne sert à rien de culpabiliser.

Les narines fuyantes et la gorge écorchée, je retombai sur le dossier de mon siège. Des fourmis se déclarèrent dans mes bras pendant que des crampes se remettaient à me tenailler l'estomac.

— Je t'en prie, Rayan, éloigne-moi vite de ce maudit cimetière.

Le restaurant se trouvait au sud du parc, coincé entre une quincaillerie sous scellés et un magasin d'électroménager. Il était grand comme un mouchoir, avec un comptoir minuscule et quelques tables pouvant accueillir en tout une dizaine de personnes. Trois clients finissaient de déjeuner près de la porte. La serveuse nous proposa de nous installer au fond de la salle, Rayan opta pour la baie vitrée.

— Ils font la sole à la marocaine, ici. Je te la recommande.

J'acquiesçai.

— Si tu veux autre chose, il y a la carte.

— Je n'ai pas faim, je t'assure.

— Moi, si. Je suis venu directement au cimetière. En espérant t'y trouver.

— Et si tu ne m'avais pas trouvé ?

— Je n'ai plus besoin de me poser la question. Tu es là, et je suis là, nous sommes de nouveau réunis. Tu m'as beaucoup manqué, tu sais ?

— Tu as Marie, maintenant.

— L'amitié, ça compte aussi.

Nous venions de consumer les quelques mots que nous avions à nous dire. *Parler de tout ça à tête reposée.* Parler de quoi ? Rayan était gêné. Je le devinais en train de chercher un sujet agréable à mettre sur la table pour détendre l'atmosphère ; je ne l'encourageai pas. Le silence me convenait. Rayan était là, je n'en demandais pas plus. Il venait de marquer un point. Moi, je ne serais pas allé me recueillir sur la tombe de sa mère. Je n'en aurais pas eu le courage.

La serveuse nous apporta nos soles à la marocaine.

Nous mangeâmes en silence.

Rayan commanda deux cafés.

— Tu travailles toujours chez le Turc ?

— Oui.

— Et ça va ?

— Je ne me plains pas.

— Il est un peu pingre, mais correct.

Je haussai les épaules.

La serveuse nous apporta les cafés.

— Et toi, ça va ?

— J'ai eu une petite promotion.

— Félicitations.

— Rien de bien prestigieux, mais ça fait plaisir à ma mère.

— C'est toujours ça de gagné.

Il contempla les motifs sur sa tasse, un sourire attendri sur les lèvres :

— Tu te rappelles quand Driss et toi m'aviez emmené chez Madame Louise pour mon dépucelage ?

— Pour célébrer tes dix-sept ans.

— J'étais à deux doigts de faire dans mon froc.

— Mais tu as assuré.

— C'est faux… Je vous ai menti. Madame Louise a tout essayé pour me déstresser, pas moyen de réveiller la moindre fibre en moi. J'étais largué sur son lit, aussi ramolli qu'un bout de ficelle. À la fin, elle m'a sommé de me décider ou de m'en aller. Je l'ai suppliée de ne rien dire à personne. Elle a opiné, à condition que je paie double : pour la passe non consommée et pour le secret.

— Et tu as payé ?

— Elle m'a arraché tous les billets que je tenais à la main.

Il tourna sa tasse entre ses doigts, le front plissé, retint sa respiration comme s'il s'apprêtait à plonger en apnée avant de lâcher dans un soupir :

— C'était le bon vieux temps, n'est-ce pas ? Pourquoi faut-il que les bonnes choses ne durent jamais bien longtemps ?

Il retint de nouveau sa respiration, parut chercher au

plus profond de ses tripes la force de libérer ce qu'il se tuait à contenir.

L'abcès creva.

Il s'enquit, la voix incertaine :

— C'est fini avec ces… gens ?

Il guetta ma réaction comme un accusé la sentence.

— Tu ne m'as pas cru quand je t'ai dit que je ne voulais tuer personne à Paris ?

— Je ne serais pas là en train de te tenir compagnie. J'avoue qu'il m'en a fallu du temps, mais j'y suis parvenu.

Il se tourna vers la rue. Ma réaction, qu'il redoutait à tort, l'encouragea à déballer le reste de ce qu'il avait du mal à digérer :

— Comment ces pseudo-imams arrivent-ils à convaincre de jeunes hommes à renoncer à leurs rêves, à leurs joies, à leurs femmes et enfants ? Je ne crois pas que les prêches suffisent. Les types que l'on voit sur les vidéos de surveillance quelques instants avant les attentats n'ont pas l'air drogués ou inquiets. Au contraire, ils semblent déterminés. D'où détiennent-ils une aussi inébranlable assurance ? Ont-ils *vu* quelque chose ? Leurs gourous leur ont-ils fait entrevoir une révélation, l'apparition d'un ange ou les portes du Ciel ? Sinon, comment expliquer cette béatitude qu'ils manifestent avant de se faire sauter ?

Je ne répondis pas.

— J'essaye seulement de comprendre, Khalil.

— Il n'y a rien à expliquer. Demande l'addition, s'il te plaît. Il est temps que je rentre chez moi.

— Je t'ai vexé.

— Ce n'est pas grave.

Rayan fit signe à la serveuse de lui apporter l'addition.

Je sortis dans la rue avant qu'il ait fini de régler la note.

Quelques gouttelettes de pluie étoilèrent le trottoir. Je serrai mon veston contre moi, les mains sous les bras. Un autobus se mit à klaxonner pour inviter un groupe de touristes chinois à monter à bord. Rayan me rejoignit.

— Je suis allé féliciter le chef. Un vrai magicien. Je compte inviter Marie dans ce resto. Elle adore la cuisine berbère.

Nous arrivâmes sur le petit parking où Rayan avait rangé sa voiture.

— Je te dépose quelque part ?

— Non, merci, j'ai besoin de marcher.

— Il va pleuvoir.

— Ça ne fait rien. J'ai envie de me dégourdir les jambes et l'esprit.

— On se voit un de ces quat' ?

— Pourquoi pas ?

— Et on ira voir ce qu'est devenue Madame Louise ?

— Tu ferais ça à ta fiancée ?

— Je ne suis pas obligé. Je t'attendrai au bar, comme d'habitude.

— J'ai rompu avec ces pratiques depuis des lustres.

— Dommage. Tu devrais les reprendre de temps en temps pour goûter aux plaisirs de la vie.

Il me serra contre lui, fourragea frénétiquement dans mes cheveux, comme un grand frère dans les cheveux de son benjamin :

— Espèce de tête de nœud. Tu étais le plus rebelle de nous trois, blindé comme un coffre-fort, jaloux de ton indépendance. Tu sautais d'un lit à l'autre, prêt à claquer la porte au moindre petit symptôme d'accoutumance, tellement tu tenais à ta liberté. Comment as-tu laissé ces charlatans t'embobiner ?

— Ce sont des choses qui arrivent.

Il ne pouvait pas comprendre, Rayan. Il n'avait pas besoin de ces *choses-là*, lui. Sa mère les compensait toutes. Elle avait veillé sur chacun de ses pas, couvé chacun de ses rêves, constamment à ses côtés mais le regard au loin. Elle le voyait, tandis qu'il tenait à peine sur ses jambes, bardé de diplômes, gravir les échelons, disposer d'un chauffeur et d'une secrétaire. Elle n'avait pas lésiné sur les moyens pour faire de lui un ingénieur, un crack, et ne désespérait pas de le voir un jour son propre patron.

Ce n'était pas mon cas.

Moi, je tirais le diable par la queue en riant aux éclats pour faire diversion. Je n'en voulais à personne. L'existence est ainsi faite ; il y a des gens aisés et des gens lésés, des gens à qui tout réussit et des canards boiteux. Bien sûr, au début, je cherchais à comprendre pourquoi la chance ne me souriait pas. Je me posais un tas d'autres questions, sauf que les réponses bottaient en touche. À la longue, je ne me prenais plus la tête. Je me fichais de savoir ce qui relevait du destin et ce qui résultait d'un accident de parcours. Que le ciel soit rouge ou bleu, qu'est-ce que ça change pour quelqu'un qui avance à tâtons ? Je vivais ma vie au jour le jour en espérant des lendemains meilleurs, comme tout le monde. Mais rien ne venait. À l'usure, j'avais cessé d'attendre le miracle – je n'y croyais plus, et j'avais décidé de m'accommoder des miettes que la fatalité me concédait…

Et puis, *vlan !* Ces *choses-là* arrivent. Tu ne sais pas comment elles te tombent dessus ni quand ça a commencé : une altercation qui dégénère, une réflexion raciste, un sentiment d'impuissance devant une injustice – personne ne sait exactement à partir de quel moment et sous quelle forme le rejet de toute une société germe en toi. Tu prends ton mal en patience et tu attends, la susceptibilité à fleur de peau. Tu crois conjurer tes vieux démons dans les bagarres, mais ces *choses-là* demeurent, deviennent des organes parmi les organes de ton corps, des toxines noyautant tes neurones. Puis des phrases, somme toute anodines, se mettent à se greffer dans ton subconscient. Tu es en train de regarder un film de guerre en grignotant du pop-corn avec tes copains au fond d'une salle de projection quand tu entends : « Pour qui meurent ces pauvres bougres de troufions ? Pour des multinationales ? Qu'auront-elles à leur offrir ? Une minute de silence, une médaille, une stèle que les pigeons couvriront de leurs fientes ? » Tu ne fais pas attention à ces propos et tu replonges la main dans ton pop-corn en haussant les épaules. Mais les propos s'incrustent par une porte dérobée de ton cerveau. Tu es loin de te douter que tu viens d'héberger en toi de terribles agents dormants. Comme beaucoup d'autres interceptés çà et là. Jusqu'au jour où, en suivant un reportage sur le djihad, tu entends : « Les mercenaires meurent pour leurs commanditaires. Les soldats pour des intérêts qui ne leur apportent rien. Les gangsters pour des prunes… Mais le *chahid*, lui, il ne meurt jamais ; il se prélasse dans les jardins du Seigneur, entouré de houris et d'arcs-en-ciel éblouissants. » Au début, ça te passe par-dessus la tête. Tu estimes que tu as d'autres chats à fouetter plutôt que prêter l'oreille à ces affabulations. Puis un soir, un voisin, un copain ou quelqu'un que tu connais à peine se met à te vanter les prêches de l'imam du coin. Tu l'écoutes pour ne pas le froisser car tu n'en as rien à cirer de la bonne parole. Mais le *frère* revient à la charge chaque fois qu'il te croise sur son chemin. Souvent, c'est lui qui t'accueille à la descente du tram. Il finit par te convaincre de le suivre dans l'impasse où officie l'imam. En vérité, il ne t'a pas convaincu. Tu le suis pour qu'il arrête de te harceler. C'était ce qu'il m'était arrivé. Lyès me harcelait : « Il faut que tu écoutes ça, Khalil. Dis-lui, Driss, dis-lui ce qu'il rate. » Et Driss : « Lyès a raison. Il faut absolument que tu assistes aux rencontres avec notre imam. Ça a changé ma vie. » « Allez, viens, Khalil. Ça ne t'engage à rien. Ça ne sera pas long. Qu'est-ce que tu as à perdre ? Ton boulot ? Tu n'en as pas. Ton temps ? Il ne compte pas pour toi. S'il te plaît, fais-moi plaisir. » La curiosité est la mère nourricière des tentations, et les tentations sont traîtresses. Après tout, que risque-t-on à écouter un imam ? C'est mieux que de s'écouter parler. Et te voilà, n'écoutant que d'une oreille, en train de t'ennuyer ferme au milieu des ouailles. Ton voisin te donne un coup de coude dans le flanc pour t'enjoindre à plus de correction, puis à plus d'attention. Petit à petit, les agents dormants que tu avais cumulés à ton insu commencent à se substituer à tes fibres sensibles. Quant à l'imam, il a la réponse à toutes les questions qui te taraudaient autrefois sans te livrer un indice susceptible de t'éclairer ; il te renvoie à tes déconvenues, aux vexations que tu croyais avoir surmontées, à tes blessures jamais cicatrisées – le paumé devient ton sosie, le révolté ton frère siamois, les prêches ton exutoire, la violence ta légitimité. Au diable les racistes, à mort les islamophobes ; tu ne tendras plus l'autre joue. Le temps de te rendre compte de ce qu'il t'arrive, et déjà tu es quelqu'un d'autre, un être flambant neuf, une personne que tu ne soupçonnais même pas. Tu es *respecté*, écouté à ton tour, aimé ; tu te découvres une *vraie* famille, des projets et un idéal. Tu deviens le *frère*, et tu marches la tête haute parmi les hommes, comme un seigneur. Enterré le citoyen résiduel qui rasait les murs ; tu es le nombril du monde et tu regrettes d'avoir mis si longtemps à rejoindre l'association… Et un jour, un jour béni, alors que tu jouis de toutes les considérations, tu as accès au privilège des privilèges : le cheikh révéré t'invite chez lui, sous son toit ! Il te prend à part, te fait asseoir sur un banc confectionné par un artisan du bled, coussins brodés et tapis fleurant l'encens ; il t'offre du thé et des biscuits tout droit sortis de doigts de fée ornés de henné. Et quand tu as siroté ton breuvage jusqu'à plus soif, le cheikh te regarde dans les yeux, pose ses mains augustes sur tes épaules et, d'une voix pénétrante comme un baume sur ton cœur, il te demande : « Qu'est-ce que la Vérité pour toi, frère Khalil ? » Tu lui réponds aussitôt, s'agissant de la plus nette des évidences : « C'est Dieu tout-puissant, mon cher imam. » À ta grande surprise, le cheikh fait non de la tête et te confie sous serment : « Non, frère Khalil, la Vérité sur cette terre, c'est toi. Car il te sera demandé, au Jour dernier : quelle grâce as-tu rendue à Celui qui a fait de toi un être d'amour et de lumière ? » Et alors, tout le sens que tu croyais avoir des êtres et des choses ainsi que de leur complexité, toutes les valeurs fallacieuses que l'on t'a enseignées à l'école, les notions de bien et de mal, celles de tort et de contrition, la fonction de l'honneur, de la vertu, du devoir, de la loyauté et de la pureté, enfin tout ce que tu croyais avoir compris, appris ou vécu s'écroule autour de toi comme des tentures de poussière et tu te retrouves face à la seule Vérité qui compte : *toi*, c'est-à-dire ou bien un soldat de Dieu ou bien un suppôt de Satan.

Arrivé à ce stade de lévitation, il n'y a plus de marche arrière. On retirerait un seul écrou que toute la charpente s'effondrerait – et qui voudrait voir l'échafaudage de son mausolée se disloquer ?

15.

Nous nous étions quittés sur le parking.

Rayan m'avait adressé un dernier signe de la main avant de rejoindre la route.

J'étais un peu triste de devoir ne jamais le revoir.

J'avais marché jusqu'à ne plus sentir mes jambes. Une petite bruine crachotait sur la ville, obligeant les badauds à déployer leurs parapluies. Les bistrots étaient bondés ; il y avait un match de foot à la télé que les fumeurs suivaient à travers la baie vitrée en tétant nerveusement leur mégot. Des parents récupéraient leurs enfants à la sortie d'un conservatoire. Devant moi, une mère se dépêchait derrière sa fille. Cette dernière, à peine plus haute que son violon, les tresses fleuronnées de rubans, sautillait sur le trottoir comme à la marelle. « Ce matin, à l'école, la maîtresse a dit que lorsqu'il y a plusieurs filles et un seul garçon, on écrit *ils*, et non *elles*. – C'est la grammaire qui est faite comme ça, ma puce. – Eh bien, moi, je trouve que c'est pas juste. »

Ce n'est pas juste... L'ange censé veiller sur moi m'avait poignardé dans le dos. Où avais-je failli pour être puni de la sorte ? Pour mériter d'être seul et désemparé sur ce boulevard où personne ne percevait ne serait-ce qu'une onde infinitésimale des déflagrations en train de s'invectiver en moi ? *Ce n'est pas juste...* Avais-je besoin d'un chagrin supplémentaire pour m'inciter à mourir ? J'étais parti à Paris, le cœur léger comme un moineau dans les airs. Je n'avais pas hésité une seconde à enfoncer le bouton-poussoir. Avais-je eu peur ? Pas un instant. Alors, pourquoi ce malheur de plus ? Je ne voyais ni son utilité ni son opportunité. *Ce n'est pas juste...* Je croyais que mon dévouement absolu me dispensait de certaines épreuves, que j'étais au-dessus du lot puisque j'acceptais volontiers de me sacrifier pour le bien de mes survivants, que je pouvais marcher sur la braise comme sur la voûte veloutée d'un arc-en-ciel, et me voici à claudiquer sous la pluie, les orteils à l'étroit dans mes propres chaussures… Ce n'était pas juste, non, je ne méritais pas que le sort me fasse une telle injure.

À côté de moi marchait une ombre. Je reconnus le kamikaze du Manneken-Pis. Il traînait sa chaîne de damné, la nuque basse, les yeux pleins de ténèbres.

Je n'avais pas arrêté de penser à lui depuis que mon père m'avait renié.

Il ressemblait à ma douleur, le kamikaze du Manneken-Pis.

Je me surpris debout devant une vitrine exposant une variété de coutelas. Il y en avait pour tous les usages. Des couteaux suisses, des couteaux de chasse, des couteaux papillons, des coupe-cigares, des dagues, des poignards dentelés, des Laguiole, des couteaux à steak, d'authentiques bijoux à la lame scintillante, en manche de bois de rose ou d'ivoire véritable, en corne de buffle… Derrière le comptoir, une jeune fille me surveillait, soudain mal à l'aise de n'avoir personne avec elle dans la boutique.

Hédi n'était pas à la maison. Il avait oublié de fermer les fenêtres du salon. L'appartement était aussi glacial qu'une chambre froide. Je montai le chauffage. Sur le terrain vague, les clochards se chamaillaient. Comme toujours. Je les voyais gesticuler, se repousser, s'éloigner puis revenir à la charge. Une passante les observait, un chien au bout d'une laisse. Dans le ciel ecchymosé, il n'y eut pas d'étoile filante pour que je formule un vœu, et pas le moindre signe pour que je me fasse une raison.

Je claquai les volets sur un paysage qui ne me disait plus rien.

Couché sur mon lit, j'écoutais mon pouls résonner à travers mon être.

La lumière crue du lustre me rongeait les yeux.

J'éteignis.

L'obscurité m'apaisa un peu. Je pensai à Driss et à Rayan, à nos années Molenbeek, à nos quatre cents coups et à nos quatre cents tacles. À quel moment les *frères* avaient-ils permuté mes repères ? En avais-je eu vraiment ? Je ne crois pas. J'étais sur leur chemin, objet perdu, ils m'ont ramassé et m'ont gardé puisque personne ne m'avait réclamé. Qu'avais-je été avant ? Une feuille volante ballottée par les vents contraires.

Sur cette page blanche, ils avaient promis d'écrire une épopée dont je serais le héros. Avais-je été heureux parmi eux ? Bien sûr que oui. J'étais heureux, et fier ; j'avais une visibilité, une contenance, un idéal, moi qui ne faisais que glandouiller dans les tripots avant de rentrer chez moi en rasant les murs, une main devant, une main derrière, au grand dam de mon père. Un parasite, voilà ce que j'étais *avant*, une larve qui, toute honte bue, vivotait aux crochets d'un père radin et d'une mère misérable.

J'étais conscient de mon insignifiance et n'en avais cure.

Je n'avais pas plus d'ambition qu'un chien errant.

Que faire maintenant ?

Dans quelques jours, je m'envolerais pour Marrakech.

Avant, quand j'entendais parler de la « plus grande des solitudes », je ne l'imaginais pas aussi infinie que le vide. Et me voilà seul, absolument seul face à mes responsabilités, pareil à un grain de poussière figé dans l'espace sidéral. L'attraction terrestre, pas plus que l'apesanteur, n'exerçait aucune influence sur moi. J'étais démuni face à ma conscience, c'est-à-dire face à un miroir opaque. Était-ce cela la plus grande des solitudes ? Devoir prendre une décision capitale et ne pas savoir comment y accéder ? Je n'avais pas été dans cet état d'esprit, le vendredi 13 novembre 2015 à Paris. Ce jour-là, j'étais déjà dans l'*autre monde.*

Ce soir, le doute s'invitait à ma table et je m'apprêtais à *manger ma propre chair*...

— Reviens un peu sur terre, Khalil.

Hédi était dans ma chambre. Je ne l'avais pas entendu rentrer. Ces derniers jours, je ne percevais pas grand-chose de ce qui m'entourait. Je fendais les foules et les rues comme dans un tunnel sans écho où je n'étais qu'un reflet furtif sur une vitrine, un somnambule dans sa nuit, un spéléologue au fond de l'abîme. Hier, j'étais monté dans un taxi sans m'en rendre compte.

— Ça fait deux bonnes minutes que je te parle.

— Excuse-moi, j'étais plongé dans mes pensées.

Il tira vers lui une chaise, s'assit dessus à califourchon, les bras croisés sur le dossier. Sa façon de me dévisager me déplut. J'eus l'impression qu'il profanait mon intimité.

— Tu pensais à quoi ?

— Au kamikaze du Manneken-Pis…

Il souleva un sourcil, intrigué :

— Qu'est-ce qui te chiffonne dans cette histoire, Khalil ?

— Ça m'a l'air d'un suicide plus que d'un fait d'armes, tu ne trouves pas ?

— Non, je ne trouve pas.

— Ce n'est pas normal, ce qu'il a fait. S'attaquer en plein jour et en pleine rue à des policiers armés jusqu'aux dents, avec un bout de canif et une ceinture d'explosifs bidon… J'ai passé la matinée à essayer de comprendre le geste de ce pauvre type et j'y ai décelé plus de désespoir que de conviction. Je me demande s'il a préféré se faire tuer plutôt que de tuer les gens.

Hédi bondit sur ses jambes, poussa sur le côté la chaise pour écarter tout obstacle entre lui et moi. Une expression abominable lui retroussa la bouche sur un rictus outré.

Il dit, les mâchoires vibrantes :

— Tes propos sont choquants.

— Je me pose des questions, c'est tout.

— Tes questions le sont doublement. D'abord, on ne traite pas de « pauvre type » un martyr. Tu es mieux placé que quiconque pour mesurer la portée de son acte. Est-ce la mort accidentelle de ta sœur qui fausse ton raisonnement ? La peine qu'elle t'inflige, tu l'aurais infligée à des dizaines de familles si tu avais réussi ta mission à Paris. En aurais-tu eu des remords ? Bien sûr que non. Dans toutes les guerres, il y a des dommages collatéraux. Ne laisse pas le chagrin polluer ton âme. Qu'importe notre douleur si le monde n'en devient que meilleur, plus juste et plus sain. C'est par la foi que l'on conjure nos vieux démons, as-tu oublié ? Tu n'imagines pas le naufragé que j'ai été avant de franchir le seuil d'une mosquée. Je ne trouvais pas un mot à mettre sur ma vie sans que ma vie le contamine. Et regarde ce qu'est devenu l'égaré d'hier : un sauveur. Le miracle a eu lieu, et nous sommes désormais ses instruments.

— On ne peut plus se poser de questions ?

— Pas n'importe lesquelles.

Il quitta furieusement ma chambre.

Je l'entendis sortir sur le palier en pestant.

Je me levai à mon tour, m'approchai de la fenêtre. *Sur le trottoir d'en face, il n'y avait personne.*

Je repensai au « kamikaze » du Manneken-Pis. Quel était son message ? Avait-il cherché à sauver son âme en épargnant la vie des autres ? Je me mettais à sa place pour décrypter ses réelles motivations et, curieusement, je me sentais moins dépaysé dans sa peau que dans la mienne.

Qu'étais-je allé prouver à Paris ? Qu'irais-je rectifier à Marrakech ? Si les prophètes n'ont pas réussi à nous assagir, c'est la preuve que la frustration est profondément humaine – le meilleur d'entre nous est celui qui essaye de la surmonter. La colère est une fuite en avant, le rejet brutal de notre inaptitude à faire la part des choses, la faillite outragée du bon sens. Tout ce qui échappe à notre contrôle envenime la raison et ne fait qu'assombrir davantage les jalons de notre perdition. Les guerres ne sont que peine perdue et les damnés exaltés sont complices de leurs malheurs. Où se situait mon malheur à moi qui avais atteint l'équivalence de toutes les fureurs et de tous les dénis, de toutes les certitudes et de tous les désenchantements ? À quoi servirait mon suicide ? À gâcher les rêves des autres parce que j'avais pris les miens en grippe ?…

J'étais arrivé au bout des choses, épuisé, pitoyable et aigri. Je n'avais plus la force d'exiger quoi que ce soit, ni de moi ni de personne. Mon cercle privé s'étant dépeuplé, aucun son de cloche ne bercerait mon être. Les deux personnes que je chérissais n'étaient plus là. La mort de Driss avait laissé un gouffre en moi, et celle de Zahra les ténèbres qu'il abrite.

Les grandes causes sont parfois l'aboutissement de vœux pieux ; elles naissent au détour d'une lueur d'espoir, se prolongent dans les gémissements d'un opprimé, s'affermissent dans la promesse d'un jour meilleur. Paradoxalement, lorsqu'elles consolident leurs rangs, elles se mettent à pécher par excès et à surenchérir jusqu'à réclamer l'extase dans l'autoflagellation. Ce qui était béni au départ s'en retrouve maudit ; ce qui était loué s'embourbe dans l'abjuration. Les serments d'hier nous deviennent des sommations, et celui qui cherchait le salut se surprend en train de courir à sa perte. Où devais-je me positionner par rapport à tout ça ? Je ne me voyais nulle part dans le sinistre. Ni dans les flammes de ma propre crémation ni dans la lumière aveuglante des illuminés. Coupable ou victime, complice ou simple pion, dans tous les cas de figure, j'étais plus à plaindre qu'à condamner. Si un condamné avait une chance sur mille de jouir d'une rédemption après avoir purgé sa peine, celui qui est à plaindre ne saurait être réhabilité un jour à cause du mépris qu'il suscitera jusqu'à la fin de sa vie.

Demain, j'irai rôder autour du commissariat de façon à me faire remarquer. Ensuite, je prendrai position sur le trottoir d'en face et ne bougerai pas jusqu'à ce que le policier en faction trouve mon attitude suspecte. Lorsqu'il commencera à se poser des questions, j'écarterai mon veston pour qu'il voie le couteau sous mon ceinturon. Au moment où il portera la main à son arme, je brandirai la mienne en criant « Allahou aqbar » et foncerai sur lui pour l'obliger à tirer. J'espère qu'il me tuera avant que je touche le sol. L'interprétation que donneront les médias de mon geste, ce que penseront de moi Lyès et sa clique ne m'importe pas. De toutes les manières, je n'aurai plus à subir le mépris des uns ni les anathèmes des autres. Après tout, quand on n'a pas su vivre sa vie, on n'a pas à se plaindre de ce qui ne sera jamais plus.

J'eus soudain envie d'entendre une voix autre que celle qui ululait dans ma tête. Je pris mon téléphone. Ma main trembla sur les touches du clavier. J'attendis, attendis. Dès qu'Yezza reconnut ma voix au bout du fil, elle raccrocha. Je la rappelai. Cinq fois de suite. Décidé à y passer la nuit, s'il le fallait.

— Qu'est-ce que tu veux encore ? finit-elle par s'écrier.

— Il faut qu'on parle.

— On n'a rien à se dire.
— Moi, j'ai quelque chose à te dire.
— Je ne veux rien entendre.
— Tu sais que ce n'est pas vrai. Autrement, tu aurais débranché ton fixe.

Il y eut un silence, puis elle se mit à se lamenter :

— Pourquoi c'est arrivé à elle et pas à moi ? Pourquoi Dieu l'a-t-il rappelée, elle, si jeune et si belle au lieu de me rappeler, moi, une vieille fille désabusée ? C'est moi qui ne demande qu'à en finir avec cette chienne d'existence.

— C'est le destin, Yezza.

— J'emmerde le destin. On est quoi, au juste ? Des numéros dans un jeu de hasard ? Qu'est-ce qu'on est censés foutre sur terre, hein ? Faire souffrir les êtres qui nous sont chers. Je déteste la vie, je déteste ce qu'elle représente et déteste ce qu'elle cache. J'en veux au monde entier.

— Il n'y est pour rien. C'est ainsi, c'est tout.

Je l'entendis renifler.

— Qu'est-ce que tu attends de moi ?
— Je n'ai tué personne.
— Ça, c'est ton problème, et je m'en contrefiche. Tu tremperais tes mains dans le lait de Lalla Meryem qu'elles en sortiraient maculées de sang. Je te hais. Je te hais de toutes mes forces. Tu ne peux pas mesurer combien je te hais. J'aurais dû remettre ta saloperie de ceinture à la police. Ouais, c'est ce que j'aurais dû faire tout de suite. Je m'en veux de ne pas l'avoir fait. Ta place est dans un asile. La prison n'est pas faite pour les fous.

— Je voudrais que tu dises à notre mère que je l'aime.

— Dis-le-lui toi-même. D'ailleurs, je doute que tu aies un cœur. Tu n'es qu'un monstre comme ces timbrés qui se font passer pour tes frères.

— Dis-lui que je regrette d'…

Elle me raccrocha au nez.

— À qui parles-tu ?

Hédi était dans le vestibule, les poings sur les hanches. À croire qu'il traversait les murs.

— Tu n'as pas à parler à qui que ce soit.

— De quoi je me mêle ?

— De ce qui me regarde, figure-toi. Les ordres ne souffrent aucune ambiguïté. Ce téléphone te sert strictement de récepteur. Tu n'as que deux interlocuteurs dessus : Lyès et moi. Personne d'autre. Tu cherches à foutre en l'air nos plans ou quoi ?

Il se pencha sur moi.

— Tes yeux sont rouges. Tu étais en train de chialer ?

— Ôte-toi de mon chemin.

Il m'attrapa par le poignet avec hargne.

— De quels regrets tu parlais ? Et à qui ? Si tu ne veux pas de cette mission, tu passes la main. Nul n'est indispensable. Les volontaires se bousculent au portillon.

— Ne t'avise plus de poser la main sur moi, Hédi, si tu ne veux pas finir manchot.

— Waouh ! Il y a quelque chose qui ne tourne pas rond chez toi, mon gars.

— Lâche mon bras, je te dis.

Il me projeta contre le mur. Son geste était chargé d'une froide animosité.

— Je retourne prendre le frais. Ça sent mauvais, ce soir, dans cette piaule de merde.

— C'est ça, casse-toi.

Il me décocha un regard qui me traversa de part et d'autre, telle une estocade, s'essuya le nez sur le revers de sa manche, voulut ajouter quelque chose, se ravisa et quitta l'appartement en manquant de faire voler en éclats la porte derrière lui.

Lyès tenait fermement *mon* couteau dans son poing. Les sourcils bas, les mâchoires crispées, il tentait vainement de contenir la colère en train de sourdre en lui. Dans le silence de la pièce, sa respiration rappelait le souffle d'un asthmatique.

Hédi se tenait à sa droite. En témoin à charge.

Nous étions dans une ferme, à une trentaine de kilomètres au nord de Bruxelles. À travers la fenêtre, je voyais les champs se voiler de brume. Le ciel était d'un gris d'acier. De gros nuages se préparaient à déverser leur fiel sur la campagne fumante.

— Tu me déçois, Khalil. J'ai un tel chagrin. Nous avions longuement discuté du malheur qui t'a frappé. Je t'avais mis en garde. Ne laisse pas le doute fausser tes convictions, le Malin profiterait de la moindre faille dans ton esprit pour te pervertir…

— Je ne vois pas où tu veux en venir, Lyès.

— Pourtant, ça crève les yeux.

— Pas les miens.

— À qui tu téléphonais ? me bouscula Hédi.

— C'est quoi ton problème ?

— Tu ne réponds pas à la question, me rappela à l'ordre Lyès.

— Ma sœur aînée n'est pas bien depuis la mort de ma jumelle. Elle a attenté à sa vie à deux reprises. Je l'ai appelée pour lui remonter le moral.

— Zahra n'est pas morte. Elle est parmi les bienheureux dans les jardins éternels. Ta famille devrait s'en réjouir.

— Il était en larmes, persista Hédi. C'est lui qui n'était pas bien du tout. Il disait qu'il regrettait…

— Tu t'attendais à ce que je m'en félicite ? Tu aurais fait quoi à ma place ?

— Exactement ce qu'on m'aurait ordonné de faire. Et les consignes de notre émir sont claires. Tu n'avais pas le droit de téléphoner à qui que ce soit.

Ce matin, deux individus m'avaient intercepté à la sortie de l'immeuble. Ils m'avaient fouillé pour confisquer mon couteau – ils *savaient* que j'en portais un sur moi – avant de me pousser dans une voiture. Ils n'étaient pas agressifs, juste stricts comme des soldats formatés. Je n'avais pas éprouvé le besoin de leur résister. L'un s'était installé au volant, l'autre derrière moi, sur la banquette arrière. Je ne leur avais pas demandé où ils m'emmenaient. Ils n'étaient pas obligés de me le dire. Et puis, à quoi bon savoir où l'on me conduisait. J'avais pris des comprimés pour dormir ; j'étais groggy et je me fichais de ce qui m'attendait.

Les deux hommes étaient restés silencieux durant tout le trajet. Ils regardaient devant eux comme si quelque chose les fascinait au loin. Pourtant, l'horizon n'était que grisaille et brouillard. La plaine semblait broyer du noir en ce jour sans joie et sans soleil.

— Est-ce que quelqu'un t'a forcé la main, Khalil ? Je t'ai proposé une mission et tu l'as acceptée. Je t'ai demandé si elle te convenait et tu as dit oui. Tu sais pertinemment que tu as le droit de refuser les opérations que tu ne sens pas. Nos guerriers sont des volontaires, Khalil. Ils sont libres de décider et responsables de leurs choix. Mais quand ils s'engagent, ils ne reculent pas.

— Quel rapport avec le coup de fil, Lyès ? On parle de quoi, à la fin ?

— Je parle de toi.

Son cri se voulait aussi implacable qu'un tir de fusil.

Je gardai la tête froide. Pour réfléchir vite et juste. Il me fallait trouver une parade si je tenais à m'en sortir sans trop de dégâts. Je posai mon regard sur Hédi, un regard que je voulais dépité et intraitable à la fois, puis je me tournai vers l'émir, vibrant d'indignation, l'index pointé sur mon colocataire :

— Qu'est-ce qu'il a bien pu te raconter, le Tunisien ? Il sort d'où, lui ? Il y a à peine quelques mois, il était inconnu au bataillon. Le voilà qui débarque et qui t'apprend qui je suis. On est où, là, Lyès ? Il a suffi d'un intrus pour me rendre étranger dans mon propre groupe, moi qui ai grandi dans le même caniveau que toi.

— On en apprend tous les jours, dit l'émir, et ce n'est jamais assez pour que nous soyons sûrs de ce que nous croyons savoir.

— C'est une sentence, Lyès ?

— On n'en est pas encore là.

— Alors, pourquoi je suis ici ?

— Pour ça, fulmina-t-il en brandissant mon cran d'arrêt.

— C'est ça, ta pièce à conviction ?

Mon sang-froid parut le désarçonner pendant une fraction de seconde, mais Lyès avait un art de reprendre les choses en main dont lui seul avait le secret. Son poing se serra sur le manche du couteau.

— Peux-tu me dire ce que tu comptais faire avec ?

— D'après toi ?

— T'attaquer à un soldat, ou à un flic dans la rue… qui t'abattrait comme un chien et tu serais mort pour rien.

Il me tendit le couteau.

— Si c'était ça ton projet, vas-y, frappe-moi.

— Pourquoi veux-tu que je te frappe ?

— Pour m'achever, voyons. Ne viens-tu pas de me briser le cœur ?

— C'est toi qui viens de me briser le cœur, Lyès. Je croyais que tu avais de la considération pour ma personne, que je n'avais plus rien à prouver, que tu me faisais confiance autant qu'à toi-même, et tu es là à me cuisiner comme un vulgaire suspect…

— Alors, pourquoi ce couteau ?

— J'en ai toujours porté un sur moi. Je ne vois pas en quoi, aujourd'hui, ça pose problème.

Il y eut un silence écrasant.

Hédi baissa les yeux.

Lyès garda les siens rivés aux miens. Je ne me détournai pas. Il ne fallait surtout pas que je me détourne. Le moindre de mes fléchissements aurait des conséquences terribles. Entre Lyès et moi, mille éléments s'imbriquaient dans une collision kaléidoscopique. Je décelais dans son regard immobile les interrogations qui lui traversaient l'esprit à une vitesse vertigineuse, mais impossible d'en capter une seule. Rien ne transparaissait sur son visage. J'attendis qu'un trait se décrispe, qu'une faille trahisse ce qu'il était en train de ruminer ; Lyès demeura aussi inexpressif qu'un bloc de granit.

Puis, au bout d'une éternité, sa lèvre frémit, délivrant le reste de son visage de la crampe qui le pétrifiait.

Il dit, d'une voix subitement conciliante :

— Qu'as-tu fait de mes instructions, Khalil ? Je vous ai interdit de porter une arme, blanche ou autre, sur vous. Imagine, avec ces contrôles au faciès qui ont tendance à se généraliser, que l'on te fouille au corps. Tu te retrouverais bêtement dans un commissariat à apposer tes empreintes digitales sur une fiche. C'est ce que tu veux ? Être répertorié comme un spécimen botanique présumé vénéneux ?

Je ne dis rien. Pour moi, l'examen de conscience n'était pas fini. Lyès me donnait du lest pour mieux me piéger.

Il écarta les bras. Je ne bronchai pas. Il attendit que je vienne vers lui, que je me fasse tout petit sous son aile. Je restai droit dans mes bottes. Il me considéra encore et encore, hocha la tête, et ce fut lui qui s'avança vers moi. Il m'aplatit contre sa poitrine d'ours. Son souffle brûlant se répandit sur mon cou.

— Je te fais mes excuses, mon frère Khalil. On est tous sur les nerfs, ces derniers temps.

Je ne venais pas de gagner la bataille. Le repli de Lyès n'était qu'un traquenard savamment camouflé. L'émir m'accordait le bénéfice du doute sans pour autant surseoir les soupçons. Je le connaissais trop bien pour prendre ses excuses pour argent comptant. Lyès n'était pas du genre à passer l'éponge ou à laisser quelque chose au hasard, encore moins à blanchir un repenti ou un accusé à tort. Lorsqu'il feignait de tourner la page, il en ouvrait aussitôt une autre en y reprenant les mêmes parenthèses que celles dûment consignées sur la précédente. Et quand il avait quelqu'un dans le collimateur, il enlevait le cran de sûreté et repliait son doigt sur la détente, certain de finir par tirer. Je n'avais pas besoin d'être sorcier pour deviner que je venais de calquer mes pas sur ceux de l'imprévisible. Désormais, à partir de cette accolade qui me broyait plus qu'elle ne me réconfortait, je devrais regarder à deux fois sous mon lit avant de dormir sur mes deux oreilles.

Hédi, lui, disparut de ma vue. Il n'était plus question qu'il partage ma planque ou que son chemin croise le mien.

Aujourd'hui encore, je me demande si on ne me l'avait pas affecté dans le but de m'espionner et de fureter dans mes affaires dès que j'avais le dos tourné.

16.

Des écoliers se mirent à applaudir et à s'égosiller lorsque l'avion atterrit sur le tarmac de l'aéroport Marrakech-Manara. À côté de moi, un gros passager, qui n'avait pas arrêté de psalmodier chaque fois que nous traversions une zone de turbulences, se détendit enfin. Il m'adressa un large sourire débordant de gratitude comme si j'étais responsable de son arrivée à bon port sain et sauf. Je me tournai vers le hublot pour ne pas lui rendre son sourire. Un voile ocre enveloppait la ville.

Une chaîne humaine assiégeait les guichets de la police aux frontières. J'attendis mon tour, tranquillement. Je n'étais pas pressé. Des touristes remplissaient des formulaires, çà et là, un peu fébriles. Une vieille dame farfouillait dans son sac, paniquée ; elle poussa un soupir de soulagement en mettant enfin la main sur son passeport.

Le guichetier me dévisagea, tripota un clavier, mit un temps fou à vérifier j'ignorais quoi avant d'apposer son tampon sur mon passeport. Il me libéra et fit signe au suivant d'avancer.

Je n'avais qu'un sac de sport en guise de bagage. Je me dirigeais vers la sortie quand un douanier me pria d'ouvrir mon cabas ; il fouilla méthodiquement à l'intérieur et fut navré de ne pas y trouver quelque chose à glaner.

Dehors, une chaleur trop moite pour la saison m'obligea à me défaire de mon veston. Un jeune homme en jean tailladé aux genoux et en maillot de foot frappé aux couleurs du Paris-Saint-Germain m'attendait sur le parking. Il commença d'abord par consulter l'écran de son téléphone avant de se diriger vers moi.

— Je suis Nazim.

Il m'embrassa sur les deux joues, jeta mon sac dans le coffre de sa voiture, m'invita à monter à côté de lui.

— Tu as fait bon voyage ?

— J'ai dormi dans l'avion.

— Moi, j'ai une peur bleue des avions. Je préfère prendre le bateau pour me rendre en Europe.

— Je n'ai jamais pris le bateau.

Il mit en marche le moteur, me tapa fortement sur l'épaule :

— Sois le bienvenu parmi les tiens, mon frère. Tout est fin prêt. On n'attendait que toi.

— C'est ma photo que tu as sur ton portable ?

— Oui.

— Efface-la.

— D'accord.

— Tout de suite.

Il défronça les sourcils, amusé par ma fermeté.

— Tu n'as pas confiance ?

— S'il te plaît.

Il s'exécuta, nonchalant.

— Tu en as d'autres ?

— Non.
— Tu l'as eue comment ?
— On me l'a expédiée de Bruxelles via WhatsApp. C'est moi qui l'ai demandée. Je n'allais tout de même pas t'attendre à l'intérieur de l'aérogare avec ton nom sur une pancarte. Il y a des caméras.
— Parce qu'il n'y en a pas ici, sur le parking ?
— Sauf que je ne suis pas obligé de porter une pancarte.
Il répondait du tac au tac, comme sur un stand de tir.
— Frère Khalil, ajouta-t-il avec un calme olympien, je comprends que tu sois sur le qui-vive, mais crois-moi, tu es confié à un réseau qui a fait ses preuves. Tout est sous contrôle.
J'acquiesçai de la tête.
— Je te demande pardon. Je suis un peu maniaque sur les bords. C'est dans ma nature.
— Tu n'as plus aucune raison de l'être, frère Khalil… On peut y aller, maintenant ?
— *Ala barakatou Llah.*
Nous quittâmes l'aéroport.
Nous étions vendredi, jour de la grande prière. De rares voitures se pourchassaient sur la voie qui menait à Marrakech. Un autobus se mit brusquement à bringuebaler sur le bas-côté, à cause d'une crevaison. Nazim donna un violent coup de volant pour l'éviter, redressa la barre et poursuivit sa route, imperturbable.
Je laissai mon regard voltiger de part et d'autre. J'ai toujours eu un pincement au cœur quand je rentrais au bled. La première image qui me revenait évoquait Ba-Chérif, mon arrière-grand-père, que je n'avais jamais osé approcher tant il paraissait évoluer dans un monde parallèle. C'était un centenaire fantomatique qui passait

ses journées dans sa chambre, assis en tailleur au sol, le Coran ouvert sur un minuscule chevalet. Le soir, à l'heure où la canicule estivale s'essoufflait, il sortait prendre le frais au pied d'un caroubier où une chaise en osier l'attendait. Il s'asseyait dessus comme sur un trône et se livrait à la contemplation du lointain jusqu'à la tombée de la nuit. Lorsqu'il s'isolait ainsi, personne ne devait le déranger. Pour tout le monde, Ba-Chérif communiait avec ses absents. Le rejoindre relevait de la profanation. Emmitouflé dans une robe mille fois repassée, le turban sans un faux pli et la canne en guise de sceptre, il ne disait jamais rien. Il n'avait pas besoin de dire quoi que ce soit ; sa seule présence suffisait. Je passais des heures à l'observer de loin tant il m'intimidait et me fascinait à la fois. En vérité, il n'y avait pas grand-chose à observer. Ba-Chérif faisait corps avec sa chaise et ne remuait le bras que pour éloigner les moucherons. Il avait des yeux clairs devant lesquels se prosternaient tous les regards, un collier de barbe blanche que j'aurais aimé caresser de mes petits doigts comme on caresse le duvet d'un poussin, et des mains roses immaculées qui reposaient sur ses genoux telles des offrandes. On aurait dit une figurine sacrée qu'un dieu aurait laissée là pour nous faire réfléchir. Ba-Chérif était un livre ouvert. Il incarnait à lui seul toute l'histoire du Rif. Chaque ride sur son front contait une épopée. Après avoir tout connu, tout mérité, tout donné, il attendait son heure dans la sérénité, avec la satisfaction du devoir accompli. S'il ne parlait pas souvent, s'il ne bougeait presque pas, c'était pour se persuader qu'il n'était déjà plus. Il se recueillait au pied du caroubier, à l'ombre de ses prières, là où personne n'osait chahuter son ascèse et où le temps lui-même paraissait s'être arrêté. Ba-Chérif était son propre roi. Le Seigneur était en lui, et tout autour le paradis. Il s'était éteint le jour où j'avais soufflé mes sept bougies, immuable sur sa chaise en osier, un sourire béat sur le visage, les doigts agrippés à son chapelet…

Surgissant de mon enfance, une odeur de four banal me rattrapa. Je me revis en culotte courte courant chercher des galettes brûlantes chez Ammi Brahim dont le fournil se trouvait au fond d'une impasse. Ma sœur jumelle et moi faisions la course pour que le premier arrivé ait droit au pain le plus croustillant. Je raffolais des galettes bien cuites qui craquaient sous les dents avant de fondre sur le bout de la langue comme du beurre. Zahra filait aussi vite qu'une antilope. En quelques bonds, elle me laissait loin derrière. J'avais beau couper à travers champs, impossible de la rattraper. Elle m'attendait sur le pas du fournil, les bras fièrement croisés sur la poitrine, le nez haut perché, et moi, plié en deux, la gorge aride et les narines fuyantes, je refusais de reconnaître sa victoire. « Tu as triché. – J'ai triché comment ? – Tu n'as pas compté jusqu'à trois. – Mauvais perdant. Je t'ai laissé une longueur d'avance. » Puis, attendrie par ma mine renfrognée, me sachant atteint dans mon amour-propre de jeune mâle, elle me laissait choisir la galette que je voulais… La ferme tribale était un peu en retrait du hameau. Elle surplombait les terres ancestrales qui cascadaient sur le versant nord du massif de Kebdana. Le matin, quand je me réveillais, j'adorais admirer, à travers la fenêtre, les vergers qui s'étalaient à perte de vue ; la nuit, je passais des heures à essayer d'entrevoir les chacals qui venaient rôder autour de nos poulaillers. Parfois, cachée sous un drap blanc, ma sœur jumelle débarquait dans ma chambre pour m'épouvanter… « Houuuu, je suis la sorcière morte et je reviens me venger… – Arrête de me faire peur, Zahra… – Hou-houu, tremble, petit chiot, personne ne viendra te sauver… » Je savais que c'était elle, pourtant j'étais mort de trouille…

— Si tu as soif, il y a une bouteille d'eau minérale dans la boîte à gants.

— Ça va, merci.

Un gamin remontait un talus, à califourchon sur un baudet. À proximité d'un taudis fait de zinc et de torchis, des chèvres gambadaient sous la garde rapprochée d'un chien… Nous avions des chèvres et des bêtes de somme à la ferme. La première fois que j'avais essayé de monter sur un bourricot, ce dernier m'avait envoyé valdinguer d'une foudroyante ruade. Khizzou, notre berger, un garçonnet malingre et agile comme un singe, s'était moqué de moi tout l'été. « C'est pas un vélo, un âne », me disait-il avec dédain.

Lorsque tout le monde faisait la sieste, bercé par le grésillement des cigales, Khizzou, mon cousin Allal et moi allions chasser la vipère dans le maquis. Khizzou connaissait les endroits où elle se terrait. Un jour, un énorme serpent noir et hideux s'était jeté sur nous. En sautant en arrière, Allal s'était pris la jambe dans une racine avant de dégringoler dans le ravin. Nous étions, Khizzou et moi, tétanisés. Allal n'avait aucune chance de sortir indemne d'une chute pareille. Nous n'osions même pas approcher le bord du précipice pour constater les dégâts. Et quelle fut notre stupéfaction quand, cinq mètres plus bas, nous vîmes Allal, qui s'était relevé d'entre les rochers, agiter les bras pour nous signifier qu'il n'avait rien. Ce jour-là, j'aurais dû m'apercevoir que le miracle n'était pas le privilège exclusif des prophètes. Cela m'aurait sans doute éveillé au bon côté des choses. Mais les choses avaient des côtés bien différents et je n'avais pas suffisamment de recul pour les situer tous.

— Depuis quand tu n'es pas rentré au bled ?

— Je ne m'en souviens pas.

— En tous les cas, tu n'as pas loupé grand-chose. C'est toujours la même histoire, ici : les riches d'un côté, les flics de l'autre, et les pauvres coincés au milieu…

À cet instant précis, un groupe de jeunes nous dépassa à bord d'une Porsche étincelante, la stéréo à fond la caisse. Ils étaient deux garçons à l'avant, un gringalet boutonneux et deux filles hilares derrière. Le conducteur nous adressa un pied de nez pour se moquer de notre guimbarde et appuya sur le champignon. Nazim accéléra pour tenter de rattraper la décapotable. Il ne fit que se couvrir de ridicule.

J'eus envie de me retourner pour voir une dernière fois ce que je laissais derrière moi. Je ne me retournai pas… Derrière moi, il n'y avait que des regrets.

Rayan reçut un appel de sa mère.

— Tu es où ?

— Chez moi.

— Allume la télé et va sur une chaîne d'info.

Rayan actionna la télécommande.

L'écran s'alluma sur un charmeur de serpents en train de faire peur à des gamins. Un homme déguisé en danseuse du ventre amusait la galerie. La place grouillait de monde. Rayan reconnut Jemaâ el-Fna, à Marrakech. Il monta le son. La voix off d'un correspondant parlait d'un attentat déjoué par les forces de sécurité chérifiennes. « Les cinq terroristes, dont deux Belges (Rayan manqua de tomber à la renverse lorsqu'il reconnut Khalil sur la photo exposée sur la droite de l'écran, à côté de celle d'un rouquin), ont été neutralisés à 4 heures du matin. Ils prévoyaient de se faire exploser à Jemaâ el-Fna à une heure de grande affluence pour faire un maximum de dégâts. Le massacre a été évité grâce à une dénonciation anonyme. Des ceintures d'explosifs, des kalachnikovs ainsi que des grenades artisanales ont été saisies. À l'heure où je vous parle, des perquisitions sont en cours dans les faubourgs de la médina. » Apparut à l'image un riad où, selon le journaliste, les cinq terroristes avaient été neutralisés. Une section de commandos, parée de gilets pare-balles et fusils d'assaut, s'affairait autour de trois paniers à salade et de deux ambulances. « Au cours de l'accrochage qui a opposé les kamikazes aux unités antiterroristes, deux djihadistes ont été blessés. Selon les autorités locales, aucune victime civile ou militaire n'est à déplorer. » Une vidéo amateur montra la fin de l'opération : des individus se faisaient embarquer en essayant de cacher leur visage.

— Tu te rends compte, s'écriait la mère au bout du fil.

Rayan ne l'écoutait pas.

Il se laissa choir sur le fauteuil derrière lui et se prit la tête à deux mains.

Quelques semaines plus tard, de retour d'un stage à Genève, Rayan trouva dans son courrier une enveloppe portant un timbre à l'effigie du roi Mohammed VI. Il l'ouvrit aussitôt. À l'intérieur, il y avait la carte postale d'une palmeraie. Sur le verso, trois lignes tracées au stylo-feutre noir :

> Moka n'avait pas tort. Le vrai devoir est de laisser vivre. J'ai décidé d'« attendre le printemps ».
>
> Khalil

Rayan était intrigué par le « J – 1 » écrit en gras et souligné trois fois. Il s'installa devant son ordinateur, tapa « Attentat à Marrakech ». Une liste interminable d'articles de presse apparut sur l'écran. Rayan cliqua sur le premier lien. C'était le bon. Les photos des cinq terroristes occupaient la moitié de la page. Rayan vérifia la date de l'opération des services chérifiens qui avait déjoué l'attentat ciblant Jemaâ el-Fna : 23 mars. Il retourna l'enveloppe. Le tampon postal de Marrakech indiquait que le timbre avait été oblitéré le 22 mars.

Rayan entrecroisa les doigts sous son menton et fixa longuement l'écran de son ordinateur.

— Tu aurais pu t'épargner tout ça, s'entendit-il dire.

Yasmina Khadra
Les Hirondelles de Kaboul

« Un cri déchirant
au cœur de la nuit
de l'obscurantisme. »

Alexandra Lemasson -
Le Magazine Littéraire

Dans les ruines de la cité de Kaboul, la mort rôde, un turban noir autour du crâne. Ici, une lapidation de femme, là un stade rempli pour des exécutions publiques. Les Taliban veillent. Atiq, le courageux moudjahid reconverti en geôlier, traîne sa peine. Le goût de vivre a également abandonné Mohsen, qui rêvait de modernité. Son épouse Zunaira, avocate, est désormais condamnée à l'obscurité grillagée du tchadri. Alors Kaboul, que la folie guette, n'a plus d'autres histoires à offrir que des tragédies. Le printemps des hirondelles semble bien loin encore...

Yasmina Khadra
L'Attentat

« Un voyage initiatique au cœur du terrorisme qui ébranle toutes les certitudes. »

Alexandra Lemasson - ***Le Magazine littéraire***

Dans un restaurant de Tel-Aviv, une jeune femme se fait exploser au milieu de dizaines de clients. À l'hôpital, le docteur Amine Jaafari, chirurgien israélien d'origine arabe, opère à la chaîne les survivants de l'attentat. Dans la nuit qui suit le carnage, on le rappelle d'urgence pour examiner le corps déchiqueté de la kamikaze. Le sol se dérobe alors sous ses pieds : il s'agit de sa propre femme.
Comment admettre l'impossible, comprendre l'inimaginable ? Pour savoir, il faut entrer dans la haine, le sang et le combat désespéré du peuple palestinien...

Yasmina Khadra
L'Écrivain

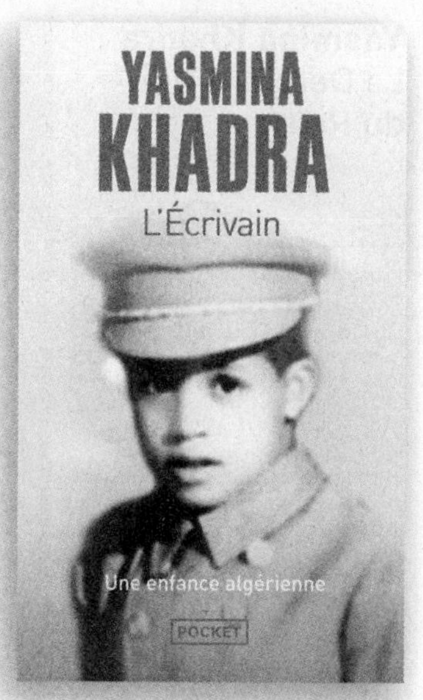

La plume à la main,
un auteur à
la conquête
de son destin.

En 1964, un jeune adolescent algérien entre dans une école militaire oranaise. Son père a pour lui les plus hautes ambitions. Excellente recrue, le futur soldat se découvre néanmoins des dons inattendus. On se méfie d'un cadet passionné par le théâtre et la littérature. Comment le métier des armes peut-il s'accorder avec celui, si étrange, d'écrivain ?

Yasmina Khadra
La Dernière Nuit
du Raïs

« Une prouesse
littéraire. »

LiRE

Nuit du 19 au 20 octobre 2011. Mouammar Kadhafi, acculé par les rebelles déterminés à libérer la Libye, a trouvé refuge à Syrte. Avec le jour, viendra la mort. Entouré d'une poignée de fidèles, le dictateur s'accroche à ses lubies et fantasmes. Lui, l'élu de Dieu, guide légitime de la nation, ne peut être renversé. Incapable de voir l'inconcevable réalité de sa fin, il court à sa perte. Et le tyran se souvient de son ascension et raconte ses dernières heures de tension. Qu'il semble loin l'écho de la gloire passée. La ferveur du peuple est un chant de sirènes...

La photocomposition de cet ouvrage
a été réalisée par
GRAPHIC HAINAUT
59163 Condé-sur-l'Escaut

Imprimé en France par

MAURY IMPRIMEUR
à Malesherbes (Loiret)
en avril 2023

N° d'impression : 269074
S29166/06